Le Temps

DU MÊME AUTEUR

Aux Éditions de Minuit

SPECULUM, DE L'AUTRE FEMME, 1974.
CE SEXE QUI N'EN EST PAS UN, 1977.
ET L'UNE NE BOUGE PAS SANS L'AUTRE, 1979.
AMANTE MARINE. De Friedrich Nietzsche, 1980.
PASSIONS ÉLÉMENTAIRES, 1982.
L'OUBLI DE L'AIR. Chez Martin Heidegger, 1983.
L'ÉTHIQUE DE LA DIFFÉRENCE SEXUELLE, 1984.
PARLER N'EST JAMAIS NEUTRE, 1985.
SEXES ET PARENTÉS, 1987.

Aux Éditions Mouton

LE LANGAGE DES DÉMENTS,
Coll. « Approaches to semiotics », 1973.

Aux Éditions de la Pleine Lune

LE CORPS-A-CORPS AVEC LA MÈRE, 1981.

Aux Éditions Galilée

LA CROYANCE MÊME, 1983.

LUCE IRIGARAY

Le Temps de la différence

Pour une révolution pacifique

LE LIVRE DE POCHE

« Une chance de vivre » a été publié dans *Sexes et Parentés*,
Éditions de Minuit, 1987.

Sommaire

Avertissement pour l'édition en langue française*

*La pensée de la différence sexuelle va beaucoup plus de soi en Italie qu'en France. Elle y est un enjeu de débats publics et politiques au sens strict. Elle est au programme des mouvements des femmes dits séparatistes : il s'agit alors de constituer une identité spécifique pour les femmes en dehors de toute mixité ou avant tout retour à la mixité. Elle figure aussi, y compris dans la bouche des hommes, comme objectif politique, en particulier au P.C.I. Mais la lettre apostolique de Jean-Paul II concernant la dignité de la femme (*Mulieris dignitatem, *automne 1988) manifeste que lui non plus, ne peut en Italie passer sous silence la question de la différence sexuelle. Répondant aux théologiennes féministes de là et d'ailleurs, Jean-Paul II tente, non sans y perdre un peu le sens de l'incarnation me semble-t-il, de dire que homme et femme ne font qu'un (?) et que toute forme de*

* La première version de ce texte a été publiée en langue italienne aux Editori Riuniti (juillet 1989).

hiérarchie entre eux serait l'effet du péché. Celui-ci serait donc omniprésent.

Ne croyez pas pour autant que l'Italie soit sans conflits sur ce point, notamment entre les catholiques et les communistes. Si le P.C.I. a une position bien à lui concernant les options politiques et culturelles, s'il est loin de ressembler à d'autres P.C. au point de songer à changer de nom pour affirmer sa singularité, s'il entretient des relations avec les catholiques tant que celles-ci sont possibles, sa position sur des problèmes tels que le droit à l'avortement et la législation relative à toute forme de violence sexuelle prouve que ses alliances n'ont rien d'une allégeance notamment en matière de différence sexuelle. La question est là, incontournable, susceptible de faire tomber un gouvernement sur un point de loi concernant la justice dans les rapports entre les sexes. Elle fait et défait des alliances entre les partis et l'Église. Elle est présente à la Chambre et au Sénat, dans les syndicats, dans les congrès politiques, à l'université, dans la presse. Elle représente une force politique et culturelle dont il serait impossible de nier l'existence.

Passée la frontière, la différence sexuelle n'existe plus ! Nous serions tous égaux. Nous jouirions désormais des mêmes droits : hommes et femmes seraient pairs.

Évidemment il ne s'agit plus de la même différence. La hiérarchie avant l'égalité ou l'identité sexuelle de chacun(e) jouissant de droits appropriés à son sexe ne désignent pas la même réalité. Et nier que femmes et hommes sont différents au nom d'une hypothétique égalité sociale correspond à un leurre, un parti pris de scission — impossible — entre vie privée et identité sociale. En passant le bord du lit ou le seuil de la maison, nous deviendrions mystérieusement unisexes ou asexes.

Mais est-ce aussi vrai que cela se croit ? Ainsi la

Déclaration universelle des droits de l'homme *est un texte peut-être émouvant, mais, moi qui suis femme, dès l'article premier, je ne me sens plus « homme ». En effet, je ne suis pas née « libre ni égale en dignité ni en droits aux autres hommes ». J'ai des problèmes d'identité féminine que le droit actuel ne résout pas. Je ne peux me sentir concernée par cette charte « universelle » qu'en renonçant à mon sexe et à ses propriétés, en acceptant aussi d'oublier toutes les femmes qui ne jouissent pas du minimum de liberté civile dont je dispose.*

Curieusement dans certains pays, dont la France, la cécité sur ce point est quasi totale. Psychose collective ou cynisme, la différence sexuelle, qui correspond à la plus élémentaire réalité humaine, est traitée comme un problème presque inexistant.

Pourtant, poursuivant un peu l'expérience de la lecture de la Déclaration universelle des droits de l'homme, *à l'article 12, je me demande comment se définit la « vie privée » et comment la justice nationale ou internationale traite les violences d'un homme ou d'un amant vis-à-vis d'une femme ? L'article 21 me fait franchement rire : « Toute personne a droit à accéder dans des conditions d'égalité aux fonctions publiques de son pays. » Pourquoi alors si peu de femmes comme dirigeantes politiques ? Elles ne le veulent pas ? Peut-être parce qu'elles ont à charge tous les problèmes de la « famille ». Il n'y a donc pas « conditions d'égalité ».*

Revenons à l'article 17 : « Nul ne peut être arbitrairement privé de sa propriété. » Certes. Le viol correspond à quoi de ce point de vue ? Et l'utilisation de mon corps nu à fin de publicité dans le métro ? Et l'exploitation des corps de femmes par les médias pornographiques ? Article 7 : « Tous sont égaux devant la loi et ont droit sans distinction à une égale protection de la loi. Tous ont droit à une protection égale contre toute discrimination qui violerait la présente Déclaration et contre toute provocation à une telle discrimination. » A qui dois-je m'adresser pour signaler l'inégalité de traitement de mon corps et de celui d'un homme ? Quelles sont les « juridictions nationales compétentes qui peuvent m'aider » contre tel ou tel irrespect de ma personne physique et morale ? Et ma « personnalité juridique » (art. 6) correspond à quoi au juste ? Et comment la défendre devant des « peines ou traitement cruels, inhumains ou dégradants » (art. 5), corporels ou spirituels ? Et si, ne disant pas la même chose que les « hommes », je me retrouve soumise à différents sévices dans mon travail, je dois m'adresser à qui ? Dois-je m'exiler ? Changer de nationalité ? Ou : me taire ?

Pourtant, en vertu de l'article 27 : « Chacun a droit à la protection des intérêts moraux et matériels découlant de toute production scientifique, littéraire ou artistique dont il est l'auteur. » Au fait : « moral », ça veut dire quoi ? Étant donné que je sais depuis longtemps que la loi « A travail égal, salaire égal » est loin d'être appliquée également pour les deux sexes (art. 23,2).

Revenons à la vie élémentaire, si j'ose dire : « Tout individu a droit à la vie, à la liberté et à la sûreté de sa personne » (art. 3) Où ? Dans quel contexte ? A quelle heure ? Ainsi, le droit de « circuler librement » (art. 13), j'ai appris à mes dépens qu'il n'était pas mien. Plus que correctement vêtue, emmitouflée même, en plein hiver, je me suis faite agresser dans la rue du Commerce à deux pas de chez moi. Mais, sagement dans ma maison, fenêtre ouverte (je peux ?), je me demande si les avions qui me survolent sans arrêt, où que je sois, ne portent pas atteinte à ma sécurité, à ma vie. Quant à ma liberté, n'en parlons plus... C'est bon pour quelques fantasmes ou fêtes de temps en temps pour les grands. Moi je suis trop petite encore. Un jour, peut-être. Dans un autre monde ou une autre Histoire ?

Bref cette émouvante Déclaration des droits de l'homme *ne signifie quasiment rien relativement à ma réalité quotidienne de femme. Et encore, je ne suis pas soumise aux « tortures » (art. 5) sexuelles que subissent certaines de mes sœurs, tortures au nom desquelles je m'autorise encore à prendre la parole quand le courage m'en manque pour moi-même. Je prétends néanmoins que j'ai à le faire de là où j'habite, et que nos cultures civilisées, qui ont exporté un modèle industriel pour le meilleur ou pour le pire, pourraient se soucier d'élaborer un modèle juridique juste et exportable en matière de différence des sexes.*

Certains milieux, certains pays, n'en veulent rien savoir. L'énoncé de droits généraux et abstraits, définis plus contre *que* pour, *y fonctionne comme une sorte de drogue sécurisante susceptible d'exorciser tous les périls. Mais le meilleur exorcisme ne serait-il pas la réalité ? Et, en particulier, celle de la différence entre les sexes ? A condition qu'aucun des sexes n'ait l'autorité sur l'autre, la limite d'un pouvoir passe sans cesse entre elle et lui, entre chacun et chacune des citoyen(ne)s d'un pays, des vivant(e)s de ce monde.*

Nous en sommes loin. Et tous les slogans égalitaristes nous en éloignent. Mais tous ces slogans véhiculent, selon moi, une idéologie totalitaire. De cette idéologie, le respect de la différence entre les sexes peut nous garder sans répression ni mutilation de notre identité humaine. Ces quatre conférences apportent des éléments politiques et culturels pour l'élaboration d'une société où l'identité sexuelle soit traitée avec justice et civilité. Elles ont été prononcées d'abord en Italie et d'abord à la demande des femmes du P.C.I. ou de la gauche italienne. Mais, *encore une fois, le P.C.I. est un lieu qui ne peut s'imaginer sans se fréquenter. Comme je l'ai déjà écrit y bat « un cœur peu visible de nos sociétés modernes* ». Et ce cœur se soucie de la différence à respecter entre les hommes et les femmes sans oublier pour autant les droits acquis au titre de « l'égalité ». Il s'agit là d'une autre étape de l'Histoire à aborder et accomplir, ensemble, pour le présent et le futur.*

Le 30 juin 1989.

* *Unità,* le 17 septembre 1988.

Introduction

Grâce à une invitation de Livia Turco* à parler de la fête des femmes de Tirrénia en 1986, j'ai connu différemment des hommes et des femmes du P.C.I. Très vite, l'intelligence et la générosité de ces femmes et de ces hommes m'ont amenée à souhaiter travailler avec elles, avec eux. De plus, l'incident de Tchernobyl m'incitait à sortir de la relative solitude où j'avais été située du fait de la nouveauté de ma pensée. Je désirais transmettre mes idées de manière plus large, non épisodique ni ponctuelle ; je voulais effectuer un travail politique dans un cadre où se pratique l'accueil amical, la tolérance, le refus de la guerre et de l'oppression des personnes, la rigueur intellectuelle. Le P.C.I. correspondait, selon l'expérience que j'en faisais, à ces critères. J'ai donc voulu travailler avec les femmes et les hommes de ce Parti.

Cela ne semble pas aller de soi aux yeux de certaines féministes. Mais je ne me suis jamais

* Livia Turco appartient à la direction nationale du P.C.I. Elle est une des actrices actuelles de la mise en place d'une politique de la libération des femmes et de la différence sexuelle en Italie.

désignée moi-même simplement comme féministe et je me sens peu en accord aujourd'hui avec bon nombre de féministes (celles-ci ne représentant d'ailleurs pas une population homogène) notamment sur les rapports entre théorie et pratique politique. Selon moi, il n'est pas possible de faire des cours universitaires dits féministes sans se préoccuper de la liberté des femmes en matière de droits à la contraception et, si besoin, à l'avortement. Ce n'est qu'un exemple. Il y a bien d'autres droits à obtenir ou faire appliquer pour les femmes concernant l'identité, le travail, l'amour notamment sexuel, les rapports aux enfants, la culture. En fait, la libération des femmes déborde très largement le cadre des luttes féministes qui en restent trop souvent de nos jours à la critique du patriarcat, à l'entre-femmes ou à la revendication à l'égalité aux hommes sans proposer des valeurs nouvelles pour vivre la différence sexuelle avec justice, civilité, fécondité spirituelle.

Cela ne semble pas aller de soi non plus étant donné certaines raideurs du P.C.I. Mais il existe dans ce Parti des exigences de plus ou moins jeunes personnes relatives à un autre mode de vivre la dimension politique. Et le P.C.I. a manifesté à travers les paroles de ses élu(e)s, notamment lors du XVIIIe Congrès, la décision de modifier l'élaboration de son programme en particulier en matière de libération des femmes et de culture de la différence sexuelle.

Ces mutations de projets politiques et d'organisation d'une société demandent de passer par une critique rigoureuse de la culture patriarcale, culture qui privilégie les généalogies masculines et la société de l'entre-hommes, les femmes n'y apparaissant pas comme majeures mais comme biens de l'homme : bien familial, bien domestique, bien sexuel, bien culturel. Cette critique interprétative de l'organisation patriarcale est effectuée dans le premier texte de ce recueil « Une chance de vivre », texte écrit, après Tchernobyl, pour répondre à la demande de Livia Turco, de « penser la différence sexuelle comme limite au concept d'universel et de neutre dans les champs des sciences et des savoirs ».

Pour mener à bien ce travail, analyser l'ordre de la langue est une chose indispensable. En effet, la langue est un des outils principaux de production du sens et de la possibilité d'établir des médiations sociales allant des rapports interpersonnels aux relations politiques les plus élaborées. Si la langue ne donne pas une chance de parole et de valorisation de soi équivalente pour les deux sexes, elle fonctionne comme moyen de maîtrise de la part des uns et d'asservissement pour les autres. « Comment devenir des femmes civiles ? » indique certains effets négatifs de l'ordre actuel de nos langues romanes (effets existant de manière différente dans la plupart des langues) sur la constitution du sujet féminin, qu'il s'agisse de la possible existence d'une identité pour chaque femme, de la valorisation des femmes qui travaillent par la désignation professionnelle ou par le genre (sexué) des objets ou des biens acquis. Ce texte conclut à la nécessité de redéfinir les droits des femmes afin de leur permettre d'adapter à leur identité des droits acquis au titre de droits à l'égalité. Cette nécessité de redéfinir et réinscrire dans le code civil, et toute charte constituant une quelconque déclaration nationale ou universelle des droits de l'homme, des droits appropriés aux deux sexes en place de droits abstraits d'individus neutres inexistants s'impose comme moyen pour les femmes de ne pas perdre les droits déjà conquis, de les faire appliquer et d'en acquérir d'autres plus spécifiquement adaptés à l'identité féminine : droit à l'inviolabilité physique et morale (ce qui signifie droit à la virginité de corps et d'esprit pour la femme elle-même), droit à la maternité libre de tutelle civile et religieuse, droit à une culture qui leur soit appropriée, etc.

Pour réaliser une politique de la différence sexuelle allant du plus privé de la vie entre les personnes à l'organisation de l'ensemble de la société, des sociétés, il est utile de respecter deux niveaux de changements culturels. D'abord, le niveau qui demande à la fois une longue perspective et une réponse immédiate : changer les médiations symboliques. Cela signifie, par exemple, changer les règles du langage et de la langue qui privilégient le masculin dit neutre (le générique humain désigné comme « homme », le pluriel masculin pour les deux sexes, etc.) mais aussi les habitudes dans l'usage des images qui portent à respecter l'homme comme citoyen, comme pouvoir civil et religieux et à considérer la femme comme bien sexué à la disposition de l'homme. Ainsi, dans bon nombre d'affiches publicitaires, l'homme porte la cravate et la femme est partiellement nue. Je donne un exemple extrême mais il est fréquent. Changer ces habitudes demande un long parcours parce que cela exige de changer les mentalités comme on dit, de changer l'ambiance, les stéréotypes et les usages culturels, etc. Mais cela exige aussi une réponse immédiate. Nous pouvons toutes et tous commencer à laisser la moitié de la parole aux femmes, à faire attention aux images dans la cité et dans la maison, nous pouvons commencer à respecter l'autre sans nous oublier nous-mêmes.

Mais, encore une fois, ces changements se font avec du temps et il est difficile de les faire ensemble parce qu'ils demandent une grande attention. En attendant, il est nécessaire de modifier le droit civil pour donner aux deux sexes leur identité de citoyen(ne)s. Cela correspond au deuxième niveau de changements nécessaires. Le texte « Droits et devoirs civils pour les deux sexes » traite de ces modifications à réaliser dans l'établissement du droit de citoyenneté afin que les femmes soient des majeures politiques protégées par la loi, responsables vis-à-vis de la société civile et vis-à-vis de celles et ceux qui la constituent. Ces droits, selon moi, doivent être redéfinis et réécrits pour nos cultures occidentales par souci de justice individuelle et collective mais aussi pour nous donner un moyen de communiquer entre nous et entre cultures en dehors de choix religieux. Cette tâche concernant le droit à l'identité civile est une des urgences de notre époque tant vis-à-vis des femmes et des hommes vivants que vis-à-vis d'un futur possible pour la communauté humaine nationale et internationale. En effet, la multiplication des droits actuels se situe presque exclusivement dans la sphère des droits à la propriété de biens, d'avantages, de capitaux divers, etc. Elle se préoccupe beaucoup d'avoir(s) mais peu d'être(s) : femmes et hommes et peu de relations entre nous à partir de cette identité humaine libre et responsable.

Le dernier texte de ce recueil « Le mystère oublié des généalogies féminines » tente d'éclaircir, à partir de composantes mythologiques toujours à l'œuvre dans notre culture, le pourquoi d'un devenir sexuel si pauvre et soumis à une libido masculine-neutre qui ne respecte plus l'individuation des partenaires érotiques. Cette étude rapproche la sexualité telle qu'elle est décrite par Freud de celle de personnages mythiques — mi-cosmiques, mi-dieux — de la Grèce archaïque, et fait apparaître que l'économie érotique actuelle est toujours dominée par l'attrait et l'interdit de l'inceste avec la mère de la part de l'homme et la nécessité d'engendrer des enfants pour échapper au chaos et à la perte d'identité humaine venant d'éros. Ces catastrophe ou déréliction sexuelles semblent s'expliquer par la destruction de pratiques et mythes religieux concernant la femme amante — par exemple Aphrodite — ou les relations humaines et divines entre mère et fille — par exemple Déméter et Korè-Perséphone*. Pour nous doter d'une sexualité humaine, potentiellement divine, il est donc nécessaire de repasser par l'identité civile de chaque sexe et de repenser les mythes ou religions possibles dans le respect de la différence sexuelle.

Je souhaite que ces textes puissent servir à la réalisation d'une politique valable pour les deux sexes. Je les adresse en particulier à mes amies et amis du P.C.I. en remerciement de leur invitation à prendre librement la parole dans leurs fêtes et réunions de travail. Je les confie aussi aux jeunes filles et aux jeunes gens de ce Parti, en espérant qu'ils leur fourniront des éléments pour l'élaboration d'une pensée politique, fidèle à certain(e)s de leurs aîné(e)s et réélaborée en fonction d'un présent et d'un futur vivables et heureux pour les femmes et les hommes de ce monde.

Le 6 juin 1989.

* La fille de la grande Déesse change de nom après son rapt par Hadès, dieu des enfers, dans la plupart des versions de ce mythe : Korè devient Perséphone.

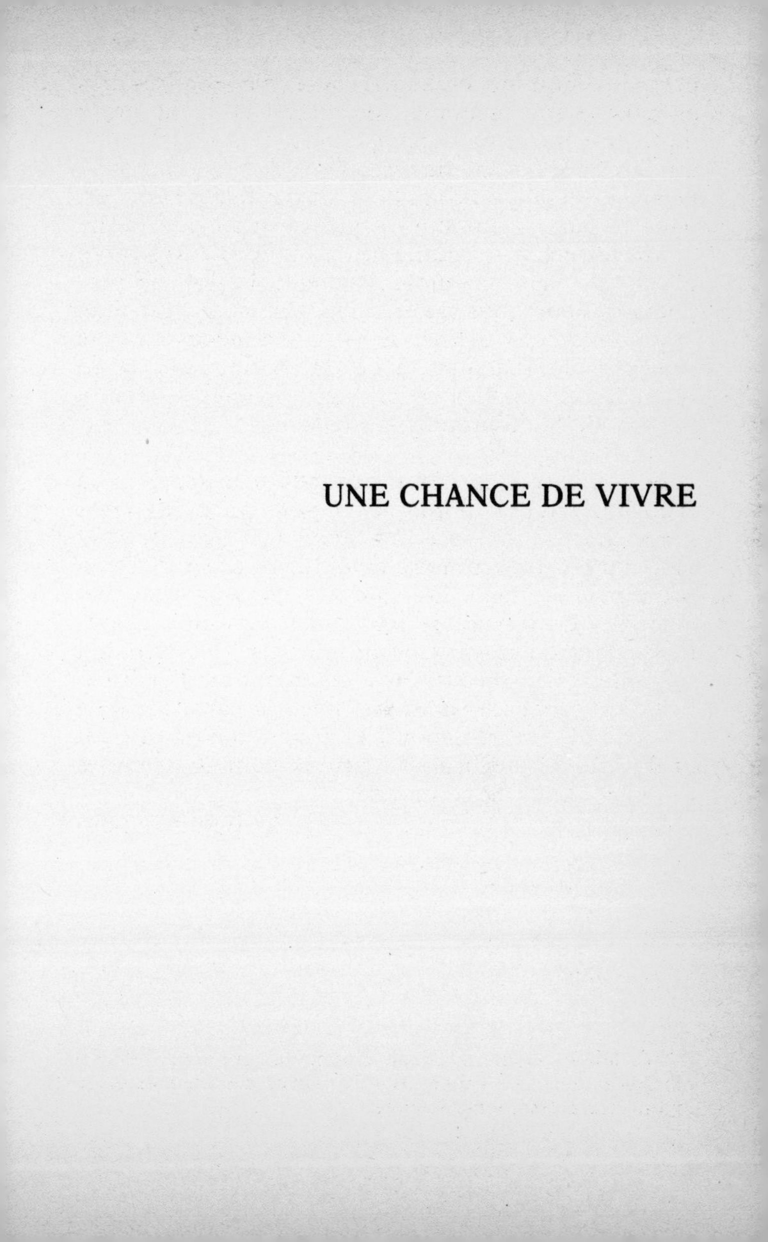

UNE CHANCE DE VIVRE

Tirrénia, le 22 juillet 1986.
Fête des femmes du P.C.I.

L'accident de Tchernobyl a créé une sidération générale. Que l'effet soit conscient ou non, la plupart des femmes et des hommes ont vécu cet accident comme une limite au désordre mondial. En effet, il était possible d'espérer que la confusion ou l'entropie générales de notre époque trouvent une régulation au moins dans la nature. C'est une hypothèse scientifique sérieuse, c'est ce qui manifeste le règne ou l'influence socio-politique des femmes, c'est la solution la plus généreuse pour tout le monde et la quête plus ou moins aveugle de millions de gens accrochés au moindre espace vert comme à leur unique chance de survie.

Or, à Tchernobyl, la nature s'est trouvée véhicule de destruction en dehors de toute guerre. Cela veut dire que les deux solutions dites de réduction du désordre sont maintenant remises en cause : la *nature* et la *guerre*. La nature ne peut plus assurer son rôle de régulation énergétique et vitale, individuelle et collective, si le risque de pollution est devenu mortel et mondial. Et la guerre ne peut plus s'utiliser avec les finalités de la guerre si elle ne peut plus être contenue dans les limites d'un conflit déclaré.

Certaines ont été prises de panique devant la conjonction de cette pollution artificielle et de phénomènes naturels : grêle, orage, soleil même ;

d'autres ont senti qu'il fallait se défendre d'avoir peur de la nature malgré tous les avertissements des médias ; beaucoup ont perçu que le désordre culturel dans lequel nous sommes embarquées malgré nous est devenu intolérable.

Depuis mai, j'ai rencontré beaucoup de femmes et d'hommes malades physiquement ou moralement. Nous ne savons pas exactement, je crois, la nature possible de ces troubles pour notre corps et pour la nature entière. Ce qu'il est possible de dire, c'est que le désordre s'est encore accru par pollutions, maladies, désespoirs et paniques. Il faut donc prendre des mesures culturelles assez simples mais rapides pour tenter de rééquilibrer notre culture. En effet, il ne s'agit pas seulement de Tchernobyl. Cet accident prévisible, là ou ici, accompagne symptomatiquement une série de faits de notre culture : faits pratiques, faits théoriques aussi. Je n'en citerai que quelques-uns pour ne pas trop attrister vos vacances. Mais l'ignorance, mêlée de crainte, assombrit aussi. Mieux vaut être un peu averties et capables de décisions objectives, si minimes soient-elles.

Que veut dire que notre culture entière est menacée de destruction ? Bien sûr, il y a les enjeux avoués concernant les menaces de guerres, celles-ci étant les seuls moyens d'équilibre international, nous est-il expliqué par des discours dont l'économie fait question. Je vais revenir sur ce point.

Il y a donc manipulation d'engins de mort à grands renforts de capitaux pour assurer la paix, nous affirme-t-on. Cette façon guerrière d'organiser la société est d'origine patriarcale. Elle ne va pas de soi. Elle est sexuée. Mais l'époque de la technique a donné aux armes de guerre une puissance qui dépasse les conflits et risques pris entre patriarches. Femmes, enfants, tout ce qui vit, y compris la matière élémentaire, s'y trouve embarqué corps et biens. Et la mort et la destruction ne se réduisent pas seulement à la guerre. Elles sont dans les agressions physiques et mentales auxquelles nous sommes soumises en permanence. Ce qui nous est nécessaire, c'est un changement culturel général et non seulement une décision concernant la guerre comme telle. La culture patriarcale est une culture fondée sur le sacrifice, le crime, la guerre. Elle impose comme un devoir ou un droit aux hommes de se battre pour se nourrir, habiter, défendre leurs biens, et leur famille et patrie comme biens. Une décision ponctuelle du patriarcat concernant la guerre est nécessaire mais est loin de suffire à une mutation culturelle. Le peuple des hommes fait la guerre partout tout le temps avec une parfaite bonne conscience. Il est traditionnellement carnivore, parfois cannibale. Donc il faut tuer pour manger, asservir de plus en plus la nature pour vivre ou survivre, aller chercher sur les plus lointaines étoiles ce qui ici maintenant n'existe plus, défendre par tous les moyens son coin d'exploitation ici ou là-bas. C'est toujours plus loin, plus avant dans l'exploitation, la mainmise, que les hommes vont, sans très bien savoir où ils vont. Les hommes vont chercher ce qu'ils imaginent leur nécessaire sans s'interroger sur qui ils sont et le rapport de ce qu'ils font à leur identité.

Pour remédier à cette méconnaissance, je pense qu'il faut au peuple des hommes des personnes à part entière qui leur permettent de se comprendre et de trouver leurs limites. Seules les femmes peuvent jouer ce rôle. Les femmes n'appartiennent pas à la communauté patriarcale comme sujets réellement responsables. D'où une possibilité, pour elles, d'interpréter cette culture dans laquelle elles ont moins d'implications et d'intérêts que les hommes et dans laquelle elles ne se sont pas produites elles-mêmes au point d'en être aveuglées. Elles peuvent, d'un dehors, renvoyer de la société une image plus objective que les hommes étant donné leur relative exclusion de celle-ci. De plus, les femmes ne devraient pas, en principe, être dans un rapport hiérarchique aux hommes. Toutes les autres formes de minorités le sont potentiellement. Et c'est avec une condescendance toute patriarcale, inconsciente ou cynique, que les politiciens ou les théoriciens s'y intéressent, en les exploitant, avec tous les risques de renversements maîtres-esclaves possibles. Cette dialectique — ou cette absence de dialectique — est inscrite, dès les origines du patriarcat, dans les rapports pères-fils. Elle est vouée à l'échec comme voie de libération et de paix parce que basée : 1) sur la *généalogie* sans équilibre suffisant venant d'une relation horizontale entre les genres ; 2) sur la *seule généalogie masculine,* ce qui rend impossible une forme de dialectique entre les généalogies et les genres masculin et féminin.

L'accès à une éthique culturelle et politique sexuée reste aujourd'hui notre chance. Le monde est en équilibre économique et religieux fragile. De plus, le développement des techniques nous soumet à de telles épreuves corporelles que nous sommes menacés d'anéantissement physique et mental, que nos conditions de vie ne nous laissent ni repos ni temps pour penser, quel que soit le temps réel de nos loisirs, et que nous sommes sans cesse dispersés, oublieux, distraits. Mais la science des hommes se soucie moins de prévention ou de présent que de guérison. Pour des raisons objectives d'accumulation de biens, pour des raisons d'économie subjective du sujet masculin, elle laisse s'accroître le désordre, la pollution et donne des crédits aux médecines curatives diverses. Elle contribue à la destruction, puis elle répare plus ou moins bien. Mais un corps qui a souffert n'est plus le même. Il lui reste des traces de traumatismes physiques et moraux, des désespoirs, des désirs de revanche, des inerties répétitives. Toute cette économie témoigne d'un oubli de la vie, d'une non-reconnaissance de dette vis-à-vis de la mère, de la généalogie maternelle, de celles qui accomplissent le travail de production et d'entretien de la vie. Un gaspillage énorme de ressources vitales se fait au bénéfice de l'argent. Mais qu'est l'argent s'il ne sert pas à la vie ? Les politiques natalistes pour des raisons économiques, parfois religieuses, n'empêchent pas que détruire la vie apparaît aussi obligatoire que la donner.

Comment réduire cette contradiction, la plus fondamentale de la plupart de nos sociétés ? Elle ne peut être résolue sans interprétation de ses origines patriarcales. Nous vivons dans une société de l'entre-hommes fonctionnant selon le respect exclusif de la généalogie des fils et des pères et la compétition des frères entre eux. Cela veut dire que nos sociétés ont replié la généalogie des femmes dans celle des hommes. Les filles sont séparées physiquement et culturellement de leurs mères pour entrer dans les familles ou institutions masculines. La famille au sens strict, l'école, le travail, le commerce, les États, les systèmes d'informations, la plupart des loisirs sont organisés selon une économie et un droit masculins. La sexuation, qui représente une des caractéristiques essentielles de la matière vivante, n'est pas cultivée dans nos sociétés depuis des siècles, et l'époque de la technique que nous vivons tente de l'annuler. Il ne s'agit pas seulement de méthodes de reproduction artificielle mais de l'ensemble du conditionnement et de l'environnement mécaniques qui sont aujourd'hui les nôtres et qui peu à peu nous neutralisent comme sexués et comme vivants. L'importance accordée au problème des techniques nouvelles de reproduction m'apparaît comme une façon de réduire encore la femme à la maternité et le couple à la seule fonction reproductrice. Il y a des choses beaucoup plus urgentes à aménager sur notre planète par rapport à l'impérialisme technique. Les femmes n'ont servi qu'à la reproduction, aux nourrissages et maternages familiaux et sociaux. Ce rôle est assuré par les animaux aussi bien que par les humains, parfois plus équitablement dans la répartition des tâches et plus esthétiquement dans les parades sexuelles. Par contre, l'identité humaine féminine n'est pas ou plus connue. La société, la culture fonctionnent selon des modèles masculins : modèles généalogiques, modèles sexuels.

Je vais en donner plusieurs exemples appartenant à différents domaines à la fois théoriques et pratiques. Chaque exemple s'accompagnera d'une suggestion de mutation culturelle.

*

1. — Les premiers exemples concernent les fondements mythologiques, religieux, symboliques de notre ordre culturel et social actuel.

- C'est toujours du père ou de la mère de l'homme qu'il s'agit dans tous les lieux publics, civils et religieux.
- Dans ce qui s'appelle sociétés matrilinéaires, le pouvoir évoqué appartient souvent déjà à la filiation *masculine* dans la famille de la mère : c'est le frère de la mère qui est responsable et valorisé sociale-

ment, donc le *fils*, non la fille, et ce fils interrompt le rapport culturel mère-fille.

• La prohibition de l'inceste entre mère et fils ou entre sœur et frère, fonde l'ordre socio-culturel, selon la science anthropologique.

• Les relations père-fils, mère-fils dominent nos modèles religieux. Certes la relation père-fils est supposée plus parfaite mais, pour le christianisme, le couple mère-fils représente le couple de l'incarnation de Dieu et il est figuré dans presque tous les lieux religieux, cité dans tous les offices chrétiens.

• Selon Freud, le rapport mère-fils figure le modèle le plus parfait du désir, et l'amour entre une femme et un homme n'est possible que si la femme est devenue mère d'un fils et qu'elle reporte sur son mari ce qu'elle éprouve pour l'enfant garçon.

Tout cela participe des mêmes schémas socio-culturels. Mais bien peu de mythologues ont exposé les origines, les qualités et fonctions, les occasions et causes de disparition des grands couples mères-filles de la mythologie : Déméter-Korè, Clytemnestre-Iphigénie, Jocaste-Antigone, pour ne citer que les figures grecques les plus célèbres.

A qui se soucie aujourd'hui de justice sociale, je propose d'afficher dans tous les lieux publics de belles images figurant le couple mère-fille, couple qui témoigne d'un rapport très particulier à la nature et la culture. Ces représentations sont absentes de tous les lieux civils et religieux. Cela signifie une injustice culturelle facile à réparer. Il n'y aura ni guerres, ni morts, ni blessés. Ce geste peut se faire avant toute réforme du langage plus longue à réaliser. Cette restauration culturelle commencera à soigner une perte d'identité individuelle et collective pour les femmes. Elle les guérira de quelques maux, y compris de détresse mais aussi de rivalité, d'agressivité destructrice. Elle les assistera à passer du privé au public, de leur famille à la société où elles vivent. Ce couple est toujours effacé même là où il est honoré. Ainsi, dans l'événement de Lourdes, événement qui draine des millions de pèlerins ou touristes, beaucoup de rassemblements populaires, beaucoup d'argent, le phénomène concerne la relation d'une fille à une mère dite divine. Mais la mère est la plupart du temps reprise sans la fille, notamment dans les églises mais aussi au coin des rues, et ce sont des hommes qui en organisent le culte, qui s'interposent dans la relation. Or cet événement commémore peut-être le couple mère-fille si important avant notre histoire patriarcale. Il est peut-être — qui sait ? — l'annonce d'un futur ? En tout cas, il ne laisse pas indifférent.

Mais il ne faut pas oublier que, au temps du droit féminin, le divin et l'humain n'étaient pas séparés. Cela veut dire que la religion n'était pas un domaine à part. L'humain était et devenait divin. De plus, ce divin était toujours lié à la nature. Les rencontres « surnaturelles » mère-fille ont lieu dans la nature. Réintégrées dans les religions instituées, elles sont bien peu interprétées dans cette dimension pourtant très traditionnelle de la religion des femmes. Pourquoi ? Quant aux femmes, soumises aux églises patriarcales depuis des siècles, elles se sont dégoûtées de la religion sans s'interroger sur leurs traditions divines. Le patriarcat a séparé l'humain du divin, mais il a aussi privé les femmes de leurs dieux ou divinité(s) propres. Avant lui, femmes et hommes étaient potentiellement divins, ce qui signifie, peut-être, sociaux. Toute organisation sociale est d'abord religieuse dans la plupart des traditions. Le religieux permet la cohésion du groupe. En régime patriarcal, la religion s'exprime par des rites *sacrificiels* ou *réparateurs*. Dans l'histoire des femmes, la religion se confond avec la culture de la terre, du corps, de la vie, de la paix. La religion est devenue l'opium du peuple parce qu'elle s'est imposée comme religion du peuple des seuls hommes. En fait, elle est une dimension de l'organisation sociale. Mais elle est complètement différente dans la perspective de la divinisation, ici maintenant, des corps sexués. Cela existe dans les cultures où les femmes ne sont pas exclues de l'organisation culturelle. En Inde, par exemple, et au début de notre culture grecque — cette époque étant pour une part encore actuelle en Inde —, la sexualité a été culturelle, sacrée. Elle constituait aussi une ressource énergétique importante pour les hommes et les femmes. Le patriarcat a enlevé le divin aux femmes. Il s'en est emparé dans les lieux de l'entre-hommes, et il soupçonne souvent le religieux des femmes de diablerie.

Mais peu de savants ou théologiens se sont interrogés sur les rapports des couples mères-filles à la fécondité et au respect de la nature. Les femmes proches de la nature sont, à partir d'une certaine époque, qualifiées de sorcières, de praticiennes de la magie, alors que, au commencement de notre Histoire, le couple mère-fille représente positivement le lieu responsable du culte du corps et des éléments naturels. La magie, les holocaustes, les rites sacrificiels ou propitiatoires n'interviennent qu'après l'interruption de cette relation à la nature : le seul universel susceptible d'être à la fois immédiat et médiatisé sans hermétisme ni occultisme.

Le religieux masculin masque une appropriation qui interrompt la relation à l'univers naturel, et en pervertit la simplicité. Certes il figure un univers social organisé par les hommes. Mais cette organisation est fondée sur un sacrifice : celui de la nature, celui du corps sexué, particulièrement des femmes. Il impose un spirituel coupé de son enracinement et environnement naturels. Il ne peut donc accomplir l'humanité. Spiritualiser, socialiser, cultiver exigent de partir de ce qui est. Les régimes patriarcaux ne le font pas parce qu'ils veulent effacer ce par quoi ils s'imposent : 1) une prise de pouvoir par rapport au règne de l'autre sexe et 2) un privilège exorbitant de la famille sur le couple sexué.

Mettre aujourd'hui, dans tous les lieux publics, des images — photos, peintures, sculptures, etc., non publicitaires — mères-filles manifeste le respect de l'ordre social. Celui-ci n'est pas constitué de mères et de *fils* comme nous le représente la culture patriarcale avec des idéaux virginaux qui lui sont réservés et qu'elle assimile souvent à de l'argent, avec ses enjeux reproducteurs, avec ses jeux incestueux, et ses réductions de l'amour à la fécondité naturelle, la décharge de l'entropie sociale, etc.

L'incapacité des femmes à s'organiser, à s'entendre et à vouloir entre elles fait sourire certains, décourage d'autres. Mais comment pourraient-elles s'unir sans aucune représentation ni aucun exemple de cette alliance. Cette carence n'a pas toujours existé. Il fut un temps où mère et fille figurait un modèle naturel et social. Ce couple était gardien de la fécondité de la nature en général, et du rapport au divin. A cette époque, la nourriture consistait en fruits de la terre. Le couple mère-fille assurait donc la sauvegarde de la nourriture des humains et le lieu de la parole oraculaire. Ce couple protégeait la mémoire du passé : la fille respectait alors sa mère, sa généalogie. Il se souciait aussi du présent : la nourriture était produite par la terre dans le calme et la paix. La prévision du futur existait grâce à la relation des femmes au divin, à la parole oraculaire.

Les hommes étaient-ils lésés par cette organisation ? Non. Dans ce respect de la vie, de l'amour, de la nature, aucun des deux sexes n'était détruit par l'autre. Les deux sexes s'aimaient sans institution du mariage, sans obligation d'enfanter — ce qui n'a jamais supprimé la reproduction —, sans censure sur le sexe ni le corps.

C'est probablement ce que les religions monothéistes nous racontent comme le mythe du paradis terrestre. Ce mythe correspond à des siècles d'Histoire appelés aujourd'hui Préhistoire, temps primitifs, etc. Ces temps dits archaïques étaient peut-être plus cultivés que nous ne le sommes. Nous en conservons des traces artistiques : temples, sculptures, peintures mais aussi des mythes et des tragédies, notamment comme expressions du passage à l'époque dite historique. Celle-ci se situe au plus près de nous au début de l'âge d'or des Grecs.

Le début du pouvoir patriarcal que nous connaissons — ce qui signifie du pouvoir de l'homme comme chef légal de famille, de tribu, de peuple, d'État... — s'accompagne de la séparation des femmes entre elles et notamment de la séparation de la fille d'avec la mère. Cette relation, la plus féconde du point de vue de la sauvegarde de la vie dans la paix, a été détruite pour établir un ordre qui, lui, est lié à la propriété privée, à la transmission des biens à l'intérieur de la généalogie de l'homme, à l'institution du mariage monogamique pour que les biens, y compris les enfants, appartiennent à cette généalogie, à l'établissement des organisations sociales entre les seuls hommes pour préserver le même enjeu.

*

2. — Mes exemples suivants seront donc empruntés au domaine du droit. En effet, il convient de s'interroger sur la représentation *écrite* du droit des femmes. Il est incroyable mais vrai que des discours théoriques et pratiques monosexués puissent ainsi légiférer et même exister. Cela n'a été possible que parce que les femmes étaient séparées de leurs mères, séparées entre elles et sans culture qui leur soit appropriée. Mais, pour créer une culture, il est nécessaire de se rassembler, se parler, s'organiser sans soumission, dépendance ni interdits économiques, juridiques, religieux.

Or, toutes les femmes sont encore dans cet état d'assujettissement social et culturel, même celles qui se croient libres et émancipées. Pourquoi le sont-elles ? Parce que l'ordre qui nous fait la loi est sexué masculin. Quelques avantages individuels acquis n'y ont pas changé grand-chose. Beaucoup aiment dire que toutes les luttes féminines ou féministes sont finies. Cela signifierait qu'elles n'ont jamais réellement existé, que leur enjeu était mal défini. La sexualisation sociale et culturelle est loin d'être accomplie pour les deux sexes et la libération des femmes ne peut pas avoir un autre enjeu.

La principale condition réelle de libération revendiquée par des foules de femmes me semble avoir été : le droit à la contraception et à l'avortement, droit qu'un certain nombre de gouvernements sont prêts à leur retirer. Ce droit témoigne simplement du respect de la vie des femmes et de leur non-soumission à la reproduction dans la généalogie du mari. Il doit s'accompagner de la protection civile en cas de viols. Il doit pénaliser également comme violences, parfois comme crimes, les coups et blessures portés contre les femmes en privé ou en public. Ce sont des droits élémentaires à la vie qu'il faut inscrire dans le code pour reconnaître les femmes comme citoyennes.

Le droit est sexué, la justice est sexuée, mais par défaut.

a) Le droit a été écrit par un peuple d'hommes de façon esclavagiste en ce qui concerne la différence sexuelle : la femme quittera sa famille, habitera chez son mari, elle prendra son nom, elle se laissera posséder physiquement par lui, elle portera ses enfants et les mettra au monde, elle les élèvera, ce qui signifie servir de nourrice, faire la cuisine, la lessive, le ménage, travaux répétitifs et ennuyeux comme ceux pour lesquels certains s'apitoient sur le sort des ouvriers. Dira-t-on qu'elle y trouve des avantages parce que son époux travaille pour elle ? Je répondrai que cette répartition des tâches, outre qu'elle la maintient en enfance (les enfants sont aussi nourris par leurs parents et l'État pour ce travail qu'est l'apprentissage scolaire), la pervertit mentalement bien plus profondément que les travailleurs ne le sont par les avantages que leur produisent l'industrie et le commerce capitalistes. Le fait d'être payées par leur mari leur fait oublier le respect et les droits de leur sexe, de leur mère, des autres femmes et même, aujourd'hui, le souci de la vie. La différence des sexes, pour qui veut bien regarder cette dimension humaine avec un peu d'objectivité, a été réduite à une question d'argent, comme tout le reste.

b) Le deuxième aspect du droit patriarcal, en effet, est qu'il concerne quasi exclusivement des questions de biens. L'individu y est finalement défini par son rapport à la possession. Il y est soumis. Dans l'aveuglement où il est du sens de ses fondations patriarcales, le peuple des hommes ne perçoit plus que le privilège du capital ne concerne, à l'origine, que lui. Les politiciens et théoriciens argumentent savamment sur le fait que la richesse, supposée neutre, doit être partagée équitablement entre tous. Mais celle-ci, entendue comme accumulation de biens par exploitation d'autrui, est déjà le résultat de la soumission d'un sexe à l'autre. La capitalisation est même ce qui organise le pouvoir patriarcal comme tel, par la mécanisation de nos corps sexués et l'injustice dans la domination de ceux-ci.

Le peuple des hommes a généralement fait passer la propriété avant la vie. Il se soucie peu de la matière vivante, de son économie culturelle. La société des hommes est bâtie sur la possession de biens. La vie elle-même est assimilée à un bien, à un capital productif, possédé comme instrument de travail mais non comme la base de l'identité à cultiver. Le patriarcat se préoccupe peu de spiritualiser la nature sexuée. Cela pervertit son rapport à la matière et son organisation culturelle. Hegel a particulièrement été conscient de cet échec concernant une éthique de nos relations au naturel dans la question des genres et de leurs généalogies : Antigone est sacrifiée parce qu'elle respecte le sang et les dieux de sa mère en rendant un culte à son frère mort. Hegel a écrit que tout le reste de la construction du devenir de l'esprit était hypothéqué par ce sacrifice. Quant à Marx, il se préoccupe beaucoup d'économie sociale mais assez peu de la culture de la nature sauf dans sa transformation en utilités où elle disparaît comme phénomène naturel. Nous avons été ainsi amené(e)s à parler beaucoup de justice sociale sans nous souvenir que celle-ci avait besoin de réserves et racines naturelles pour exister. C'est particulièrement évident du côté des femmes comme reproductrices, des matières premières, des terres cultivables, mais c'est vrai de tout corps. Pas de société sans corps qui la composent. Cette tautologie est sans cesse oubliée pour des raisons d'économie subjective masculine, du moins dans nos cultures patriarcales.

*

3. — Mon troisième exemple concernera donc la question de la différence entre les hommes et les femmes dans les rapports sujets-objets, sujets-sujets. La société des hommes présente certaines particularités qui se veulent universelles mais sont dues au sexe des personnes qui la composent.

Ainsi, à défaut d'une culture sexuelle, d'une méthode de relations culturelles entre les genres (méthode partiellement dialectique), l'homme — dans sa logique, ses discours, ses comportements, toute son économie subjective — oscille en permanence entre le *oui* et le *non* qu'il dit à toutes formes de mères dans la constitution de son identité. Les contradictions sont de plus en plus anarchiquement manipulées. Leur rythme échappe d'ailleurs à qui les énonce. L'homme a besoin de ces oui-non pour se tenir à distance de la matière qui l'a produit. Le plus souvent, il essaie de se garder dans la dénégation de cette mère ou matrice premières. Son refus de la réalité tente, par différents moyens, y compris de très subtiles argumentations, d'imposer une *seconde nature* qui finit par détruire ou faire oublier la première. Cela correspond à la culture ou à l'Histoire d'une époque. Ensuite, la nature reprend ses droits. Encore faut-il qu'il reste des réserves naturelles ; ce qui est devenu aujourd'hui une question. Ce qui s'appelle nature humaine signifie donc souvent l'oubli ou la méconnaissance de notre condition corporelle au nom de quelque leurre ou perversion spirituels. En effet, que désigne cette « nature humaine » ? Sûrement une hypothèse de fonctionnement patriarcal puisque cette nature humaine ne se soucie pas de différence sexuelle pour définir une identité culturelle. L'obligation d'enfanter ou de garder la maison ne constitue pas une identité féminine. Une fonction ou un rôle social, pas plus.

La femme n'est pas du tout dans le même type d'identité subjective que l'homme. En effet, elle n'a pas à se distancier de sa mère comme lui : par un *oui* et surtout un *non*, un *près* ou *loin*, un *dedans* opposé à un *dehors*, pour découvrir son sexe. Elle se trouve devant un tout autre problème. Elle doit pouvoir s'identifier à sa mère comme femme pour accéder à sa sexualité. Elle doit être ou devenir femme comme sa mère et, en même temps, être capable de se différencier d'elle. Mais sa mère est même qu'elle. Elle ne peut être réduite ni manipulée comme *objet* ainsi que le fait le petit garçon ou l'homme. Selon Freud, et plus généralement les théories de la sexualité, notre désir est un désir d'objets, et de compétition pour des objets. La violence s'explique alors par ce besoin de posséder des objets et la rivalité pour s'en emparer. Le statut et même l'identité de quelqu'un se définit par les objets qui lui appartiennent. Cette économie est partiellement valable pour la subjectivité masculine. La femme, elle, devient sujet immédiatement par rapport à un autre sujet même qu'elle : sa mère. Elle ne peut réduire sa mère en objet sans s'y réduire elle-même parce qu'elles ont le même genre. D'où la loi du tout ou rien du désir féminin s'il ne trouve pas une identité subjective par rapport à sa mère. Le *fort-da* que nous décrit Freud comme entrée de l'enfant dans le monde du langage, de la culture, fonctionne mal pour la fille, sauf par identification au petit garçon. Elle s'aliène alors dans un autre qu'elle et fait de ses enfants, ensuite de son mari parfois, des quasi-objets. Ainsi, elle donne peut-être raison aux descriptions phalliques qui sont faites d'elles. Il ne s'agit pas de son identité.

Confondre *identité* et *identification* ne correspond pas à trouver un ordre pour la matière et sa forme que nous sommes. C'est un leurre idéaliste qui produit beaucoup d'entropie sociale. Le neutre se situe souvent là : dans la confusion entre identité et identification. Le leurre d'être obscurément ou de pouvoir être des hommes, et réciproquement, exile les femmes d'elles-mêmes et fait d'elles des agents de destruction individuelle et sociale. Elles ne sont pas pour autant en accord ni en harmonie avec elles. La découverte possible de leur identité pose par contre un problème de relation subjective important. La femme est directement en rapports intersubjectifs avec sa mère. Son économie est celle de l'*entre-sujets* plus que des rapports sujet-objet, donc une économie très sociale et culturelle qui a sans doute fait interpréter les femmes comme les gardiennes de l'amour. Cette économie subjective entre mère et fille peut se traduire partiellement en gestes, comme il est objecté par certaines femmes — ou hommes — qui méconnaissent ou nient pour diverses raisons la nécessité d'un discours sexué. Mais cela ne suffit pas. Il faut que la femme puisse se dire en mots, en images et symboles dans cette relation intersubjective avec sa mère, puis les autres femmes, pour entrer dans une relation non destructrice aux hommes. Il faut permettre, connaître, définir cette économie d'identité très particulière de la femme. C'est indispensable pour une culture réelle. Cela suppose de soutenir et non détruire la relation mère-fille. Cela exige de ne pas croire que la fille doit se détourner de sa mère pour obéir au père ou aimer son mari. Pour se constituer comme identité sexuelle, une relation généalogique avec son propre genre et le respect des deux genres sont nécessaires. Celui-ci demande des modèles érotiques valables et non une neutralisation des sexes ou un défoulement, une désublimation, tels ceux auxquels nous assistons.

*

4. — Quels sont nos schémas sexuels dominants ? La sexualité masculine — selon Freud, il n'y en a pas d'autre — est bâtie sur un modèle énergétique du type tension, décharge, retour à l'homéostasie. Cette économie obéit aux deux principes de la thermodynamique considérés pendant longtemps comme insurmontables. La sexualité serait donc liée à des lois physiques qui ne lui laissent pas de liberté, pas d'avenir, autre que répétitif, explosif, non évolutif. La seule échappatoire à ce triste destin serait la procréation. Il est vrai que Freud ne donne pas d'indication sur les processus de sublimation à l'âge adulte. Devenir hommes ou femmes signifierait simplement devenir reproducteurs et non pas capables d'une énergie à penser, partager, cultiver avec l'autre sexe. Ce qui est sublimable, selon ce spécialiste de la sexualité, ne concernerait que les pulsions partielles. D'où la régression théorique et pratique à celles-ci pour qui refuse de s'en tenir à un modèle génital reproducteur ?

Qu'appelle-t-on pulsions partielles ? Freud s'intéresse surtout à la vue, mais l'ouïe, l'odorat, le goût, le toucher sont aussi des pulsions partielles. Le toucher, qui intervient dans tous les sens, constitue un sens très particulier dont parle très peu Freud. Il est trop préoccupé d'objets. Le toucher est un sens plus subjectif, intersubjectif ; il se situe entre l'actif et le passif ; il échappe à l'économie possessive, mécanique et guerrière, sauf quand il est réduit aux coups et blessures ou à une partie du corps.

Mais qu'en est-il aujourd'hui de cette sublimation

possible de nos sens ? L'énergie tension, décharge, retour à l'homéostasie, est compétitive avec la technique mais, comme le retour à l'équilibre, à la stabilité, est de plus en plus problématique, elle veut aller de plus en plus fort, de plus en plus vite. Il faut que « ça pulse », il faut « s'éclater », etc. Et cela à n'importe quel prix, sinon c'est la débandade. Ces pulsions vont à une décharge de plus en plus forte et selon un modèle concurrentiel. Mais l'escalade à l'entropie humaine et technique nous fait oublier notre condition de vivants. Ce pathos du plus d'énergie, d'une croissance économique, individuelle et collective, sans régulation en harmonie avec les rythmes naturels, nous sacrifie peu à peu.

Tous ces affects, ces sentiments privés ou publics (souvent entretenus par la publicité au service du commerce et de l'industrie à l'insu des consommateurs et consommatrices, autant passifs qu'artificiellement passionnés) semblent venir à la place d'un corps oublié. Ce corps, lui, a rapport à la *perception* beaucoup plus qu'au *pathos*. Un corps respire, sent, goûte, voit, entend, touche ou est touché. Ces attributs corporels sont en voie de disparition. Mais comment vivre sans corps ? Que signifie cette extinction ? Cela signifie que la culture des hommes a produit de telles pollutions de l'air, de la nourriture, de la vue, de l'audition, du toucher que nos sens sont en passe d'être détruits. Or nous ne pouvons ni vivre ni penser sans la médiation de nos sens.

Pour ce qui concerne l'audition, les médecins savent que nous sommes en train de perdre l'ouïe. Disons qu'ils confirment ce que nos expériences et notre bon sens devraient nous apprendre. Nos oreilles, sans cesse soumises aux agressions des bruits des machines, y compris aériennes, n'ont plus de repos et finissent par s'affaiblir par autodéfense. Elles souffrent aussi des excès de vitesse et des changements fréquents d'altitude que nous leur faisons subir du fait des actuels moyens de transport. Or nos oreilles sont le principal de nos organes d'équilibre statique et de régulation thermique et affective. Cela veut dire qu'il est impossible de demander à une population d'être pacifique, civique, encore moins affectueuse, si elle est sans cesse soumise à des chocs et tensions acoustiques. C'est encore plus vrai pour les femmes qui sont plus sensibles que les hommes de ce point de vue et qui ne sont même plus protégées chez elles, vu l'expansion de l'outillage technique, l'extension de la circulation routière et aérienne. L'agression par le bruit et autres pollutions sensibles n'est plus aujourd'hui le fait de certains travailleurs. Elle atteint toute la population, et sans aucune contrepartie salariale ou autre. Détruisant nos perceptions acoustiques, nous détruisons une bonne partie de notre identité. De plus, ce sens représente un de ceux le plus précocement et passivement éveillé (le fœtus entend dans le ventre de sa mère) et celui qui demeure aux niveaux de culture les plus avancés et les plus universels : ceux de la communication verbale et de l'écoute de la musique. Il est donc urgent de trouver une économie du bruit qui protège notre audition. Il existe quelques moyens très simples et, finalement, peu coûteux : limiter les routes à véhicules à moteurs en ville et hors des villes en aménageant de nombreuses voies piétonnières et des zones de silence, ne pas exploiter tout le ciel comme voies aériennes, orienter la recherche vers la découverte de machines silencieuses. Certaines existent déjà et il y a des priorités vitales à respecter, quitte à y perdre un peu d'accélération et à apprendre aux consommateurs à faire quelques mètres à pied : ces deux apprentissages me semblent d'ailleurs indispensables pour leur propre vie.

Quant à notre vue, les éblouissements par les éclairages publics artificiels de plus en plus violents et nombreux en usent peu à peu l'élasticité et les matériaux utilisés aujourd'hui pour les vitrages d'immeubles et surtout de voitures rendent les réverbérations solaires de plus en plus intolérables. Si les marchands de lunettes solaires ou autres prolifèrent, notre corps et notre sensibilité ne s'en détruisent pas moins.

Je ne vais pas continuer cette triste énumération. Vous savez toutes et tous que les nourritures deviennent souvent insipides sinon toxiques à cause des engrais chimiques ou des produits d'accélération de croissance et de soins donnés aux animaux. Il faut aller loin des villes pour percevoir des odeurs agréables à l'odorat (sens indispensable à notre vitalité) outre le fait que l'air, la matière la plus vitale, est pollué par beaucoup de toxiques en tous genres à tel point qu'il risque d'y perdre ses qualités. Là encore, s'il est évidemment juste de dénoncer l'utilisation mortelle de l'air en temps de guerre, je pense qu'il faut consacrer plus d'énergie encore à exiger de l'air respirable pour tout le monde en temps de paix. Nous rendre vigilantes à certains risques ne doit pas correspondre à nous rendre inattentives à la destruction corporelle permanente à laquelle nous sommes soumises. Surtout qu'il n'y a plus de choix possible ou si peu... Les lieux de vacances, de repos ou les habitations hors des villes sont eux aussi parasités par les machines, les avions, les voitures quatre-quatre qui grimpent allégrement les montagnes, les motos tous terrains qui s'adonnent à la compétition dans les chemins de campagne, les collines, le bord de mer, les rivières, etc. Tous ces engins, plus ou moins utiles, sont soumis à une réglementation très peu stricte du point de vue horaires, du point de vue lieux accessibles ou non. Et l'hypocrisie sociale est ici très grande qui dénonce, par exemple, le manque d'éducation ou l'imprudence des jeunes tout en leur fournissant les machines capables de déranger les adultes et de produire des accidents. Le souci de gagner et d'accumuler de l'argent fait que, à mon avis, seules des femmes conscientes du danger et soucieuses de la vie peuvent exiger une restriction de l'inflation technique pour sauvegarder notre santé corporelle et mentale. Encore faut-il qu'elles y soient vigilantes, qu'elles osent parler, affirmer ce qu'elles veulent, qu'elles puissent s'exprimer publiquement et être entendues.

Les femmes n'obéissent pas à la même économie sexuelle que les hommes. J'ai écrit beaucoup de choses déjà à ce sujet. Je peux redire, en quelques mots, que leurs relations aux fluides et aux solides, à la matière et à la forme, au toucher comme peaux et muqueuses, à la symétrie, à la répétition, etc. sont différentes. Dans le cadre de cet exposé, je veux surtout rappeler que les femmes n'ont pas le même rapport à l'entropie, à l'homéostasie, à la décharge. Elles ont une régulation interne beaucoup plus forte qui les maintient dans un processus de croissance constant et irréversible. Cela n'est pas forcément négatif ; il ne s'agit pas nécessairement d'un processus de dégénérescence ni d'accumulation. Une femme devient pubère, est déflorée, est enceinte, une fois ou plusieurs, est ménopausée, etc., autant d'événements qui marquent une temporalité beaucoup plus continue que les ruptures de la sexualité masculine ou son continuum sans moment irréversible. Cette temporalité est complexe du point de vue hormonal, ce qui réagit sur l'organisation et l'équilibre général du corps. Mais chaque moment de ce devenir a lui-même une temporalité propre, éventuellement cyclique, liée aux rythmes cosmiques. Si les femmes se sont senties tellement menacées par l'accident de Tchernobyl, cela vient de cette relation irréductible de leurs corps à l'univers. Cette composante de leur devenir sexué s'accommode mal d'ailleurs de l'accélération à laquelle nous entraîne la technique. Une grossesse demande toujours le même temps, un cycle menstruel également. Les femmes sont ainsi astreintes à une *double temporalité.* Dans certains lieux, il est émouvant et anachronique de voir une femme enceinte. La société leur demande néanmoins de l'être, et l'assistance médicale qu'elles reçoivent ne pallie pas les difficultés affectives, nerveuses, hormonales qu'elles rencontrent. De plus les interventions du corps médical, dont il ne faut certes pas négliger la nécessité éventuelle, irresponsabilisent et contribuent à une perte d'identité quand elles sont rendues indispensables et permanentes du fait du rythme de la vie et de ses nuisances.

Je sais que cette relation des femmes à une temporalité naturelle fait qu'elles sont considérées parfois comme un frein à la culture, comme « réactionnaires », qu'elles se considèrent elles-mêmes comme telles. Je ne suis personnellement pas d'accord avec cette interprétation. Tchernobyl, mais bien d'autres phénomènes dont j'ai décrit certains, le prouvent. Nous avons besoin d'une régulation apparentée aux rythmes de la nature ; nous avons besoin de cultiver cette filiation naturelle et non de la détruire pour lui imposer une double nature schizée de nos corps et de leur environnement élémentaire. Les femmes sont plus mortellement atteintes par la rupture avec les équilibres cosmiques. A elles donc de dire *non.* Sans leur *oui,* le monde des hommes ne peut continuer à se développer ni à subsister. Certes il faut apprendre où placer le *non* et pourquoi le dire. Il faut savoir aussi comment le dire. Cela demande un apprentissage du rapport subjectivité-objectivité qui fait particulièrement défaut aux femmes vu leur passé culturel d'identification à l'objet du désir. Cet apprentissage est réalisable. Il faut le mettre aux programmes de l'enseignement politique et culturel des filles. Je vais vous donner immédiatement un petit exemple d'un moyen éventuel de se distancier par rapport à une autorité qui nous impose ses lois, et à soi-même comme sujet écoutant et parlant.

*

5. — Cet exemple, je vais le prendre dans l'intérêt qu'il y a à savoir faire l'analyse d'un discours, à ne pas l'écouter de façon crédule ou passive, à apprendre à identifier le sexe de qui parle et son rapport à l'autre sexe et au monde, à partir de théories linguistiques et logiques très simples.

Bien sûr, il convient de se rappeler d'abord que la langue n'est pas neutre et que ses règles pèsent un poids considérable sur la constitution d'une identité féminine et des relations des femmes entre elles.

Que signifie que la langue n'est pas neutre ? Certaines choses très simples d'abord : *a)* le pluriel des genres est toujours masculin : « Électeurs, électrices, vous êtes tous des Ital*iens* » ; pour être des Italien*nes*, il faut que vous restiez entre femmes ; *b)* les réalités valeureuses sont du masculin le plus souvent dans nos cultures patriarcales : le Dieu, le soleil, etc. ; *c)* le neutre, qui intervient souvent à la place d'une différence sexuelle effacée, se dit avec la même forme que le masculin ; cela est vrai pour les phénomènes de la nature (il tonne, il vente, il fait soleil, etc.) ou les réalités concernant le devoir ou le droit (il faut, il est nécessaire, etc.). Ces formes de la langue et du discours qui nous semblent universelles, vraies, intangibles, sont des phénomènes historiques déterminés et modifiables. Ils entraînent évidemment des conséquences au niveau du contenu des discours, différentes selon les sexes. J'ai fait l'analyse d'un certain nombre d'énoncés d'hommes et de femmes et j'ai commencé à interpréter ces différences. Il serait trop long de vous communiquer les résultats aujourd'hui. Ils seront publiés prochainement. Mais, puisque nous nous rencontrons après Tchernobyl et en vue de méditer sur cet accident, je veux vous dire que j'ai analysé, entre autres, certains discours masculins prononcés en situation de politique internationale concernant les armements nucléaires. Ce travail scientifique prouve, au-delà d'une écoute habituelle, naïve, que ces plaidoyers politiques sont souvent vides de tout contenu. Il est vrai que, plus un discours est vide, plus nous avons tendance à y projeter quelque chose. Le néant inquiète, fait peur, nous reste étranger. Mais je pense que ceux qui prononcent ces discours sont eux-mêmes inconscients de leur peu de sens et de leur propre manque de liberté et responsabilité subjectives. Leur désarroi est égal sinon supérieur au nôtre même s'ils ne veulent pas l'avouer ni se l'avouer. Je propose d'essayer de sortir de la fascination du vide sans agressivité ni revanche, mais par des analyses rigoureuses des discours qui édictent ou discutent les lois sociales et politiques. Celles-ci montreront que des réalités fictives et une inertie de règles linguistiques organisent bon nombre de discours politiques, avec cette particularité que des notions *inanimées* abstraites sont substituées aux sujets *animés*. Cela donne à ce langage une économie magique. En effet, le « progrès », la « justice sociale », la « paix », les « conflits », les « armements », etc. ne sont pas des personnes activement responsables du devenir de la société ni de l'Histoire mais des concepts ou notions, soi-disant neutres, sur lesquels les hommes (parfois les femmes, par mimétisme) se déchargent de leur subjectivité, du rapport à leurs interlocuteurs, de leur responsabilité vis-à-vis du monde, dans un devenir abstrait mal orienté dans l'espace et le temps. Si l'on m'objecte que cela correspond au style du discours politique, je répondrai qu'il n'en a pas toujours été ainsi, mais que les dirigeants actuels semblent pris dans la langue et la culture qu'ils ont produites comme dans un filet ou un sol mouvants dont ils sont incapables d'émerger. Nous sommes face à des prisonniers de leur propre civilisation.

Mais si certain(e)s ont choisi la violence comme moyen d'expression, souvent par désespoir, les discours qui ne veulent rien dire appellent, à leur façon, le recours à la violence, à la guerre, comme limites au non-sens, au néant. Parler pour ne rien dire, surtout en situation de mandat politique, entraîne le risque que les échanges entre pays, entre personnes, s'expriment autrement que par la parole. Cela ouvre également la possibilité qu'un « je » dictatorial s'empare d'une énergie sans responsables effectifs pour édicter et appliquer sa vérité.

Le sacrifice de l'esprit naturel, de l'esprit du genre particulièrement féminin, de l'esprit familial entendu en un certain sens à la neutralité de citoyens voués au service des États, des sciences ou des techniques a substitué à l'enracinement vital, matériel, l'aveuglement social de l'entre-hommes : aveuglement libidinal, aveuglement des argumentations, des idées et des perspectives coupées de leurs contenus concrets. Cet aveuglement suppose et accélère l'oubli, la méconnaissance, la destruction du monde sensible là où il serait nécessaire de trouver une articulation objective et subjective entre la nature et la culture.

Quels seraient mes conseils aux femmes pour un discours non séducteur ni réducteur ?

a) Ne jamais quitter l'expérience subjective comme élément du savoir. La théorie la plus transcendantale est aussi enracinée dans du subjectif. La vérité est toujours produite par quelqu'un(e). Cela ne signifie pas qu'elle ne contient pas une objectivité.

b) Ne pas s'adonner au spontanéisme ni au pulsionnisme publics : sentiments naïfs, agressivité, etc. Cette attitude correspond à l'autre versant de la croyance en une vérité indépendante du sujet ; c'est l'effet aveugle sur les femmes de la culture existante.

c) Reprendre sans cesse le travail d'une dialectique subjectivité-objectivité. La civilisation patriarcale, outre notre propre rapport au naturel, nous a mises en position d'objets ; il faut que nous apprenions à devenir des sujets capables de paroles.

d) Ne pas souscrire ni adhérer à l'existence d'une science neutre, universelle, à laquelle les femmes devraient péniblement accéder et par laquelle elles se briment et briment les autres femmes, transformant la science en un nouveau surmoi. Il existe une mystification de l'innocence des sentiments mais aussi de la vérité scientifique. Toute vérité est partiellement relative. Une vérité théorique qui nous oblige à abandonner tous repères subjectifs est dangereuse.

*

6. — Cela m'amène au dernier point de cet exposé que je développerai peu, ayant voulu indiquer des éléments pratiques de mutation culturelle vers plus de justice et ayant choisi, dans ce but, de me limiter à certains savoirs ou sciences. Ce point, qui va me servir de conclusion, est : l'ensemble des sciences et des savoirs que nous connaissons se présente-t-il de façon neutre et universelle ? Ma réponse est *non*. Comment cela serait-il possible ? Toute connaissance est produite par des sujets dans un contexte historique donné. Même si elle tend à l'objectivité, même si ses techniques se veulent des moyens de contrôle de celle-ci, la science manifeste certains choix, certaines exclusions, dues notamment au sexe des savants. Quelques épistémologues soupçonnent actuellement l'impact du sujet sur l'objet abordé et surtout traité par les sciences. Leurs questionnements s'arrêtent presque toujours devant l'interprétation de l'influence sexuelle du sujet. Ce cloisonnement sexe/théorie est très ancien. Il correspond à des résistances relatives à des prises de pouvoir et à une conception restreinte et répressive de la sexualité.

Après le résumé de certaines de mes analyses concernant divers secteurs des sciences humaines et sociales que je viens de vous exposer, je pense que vous comprendrez que les données suivantes ne sont pas étrangères au sexe du sujet scientifique et à son histoire.

a) Ce sujet s'intéresse énormément aujourd'hui à l'accélération outrepassant nos possibles humains, à l'apesanteur, à la traversée des espaces et temps naturels, au surmontement des rythmes cosmiques et de leurs régulations mais aussi à la désintégration, la fission, l'explosion, les catastrophes, etc. Cette réalité se vérifie dans les sciences de la nature et les sciences humaines.

— Si l'identité du sujet se définit par la *Spaltung* chez Freud, ce mot désigne aussi la fission nucléaire. Nietzsche percevait également son ego comme noyau atomique menacé d'explosion. Quant à Einstein, la principale question qu'il pose, à mon avis, est qu'il ne nous laisse pas d'autre chance que son Dieu, étant donné son intérêt pour les accélérations sans rééquilibrages électromagnétiques. Certes, il jouait du violon ; la musique a préservé son équilibre personnel. Mais, pour nous, que représente cette relativité générale qui nous fait la loi en dehors des centrales nucléaires et qui met en cause notre inertie corporelle, condition vitale nécessaire ?

— Du côté des astronomes, Reaves, à la suite du big bang américain, décrit l'origine de l'univers comme une explosion. Pourquoi cette interprétation actuelle si cohérente avec l'ensemble des intitulés des autres découvertes théoriques ?

— René Thom, autre théoricien à la jonction des sciences et de la philosophie, parle de catastrophes par conflits plutôt que de générations par abondance, croissance, attractions positives, notamment naturelles.

— La mécanique quantique s'intéresse à la disparition du monde.

— Les scientifiques travaillent aujourd'hui sur des particules de plus en plus imperceptibles qui se définissent seulement grâce à des instruments techniques et par des faisceaux d'énergie.

— Freud et, à sa suite, Marcuse sont très pessimistes sur les chances des pulsions de vie. Or les pulsions de mort sont un instrument individuel et collectif de désintégration, décomposition.

— La philosophie s'intéresse beaucoup à la déconstruction de l'ontologie, à l'anti- au post- mais peu à la constitution d'une nouvelle identité rationellement fondée.

— Les sociologues nous découpent en parcelles d'identité, les sémiologues en sèmes, traits pertinents, fonctions, etc.

— Quant aux maîtres-psychanalystes, et leurs descendances, ils refusent généralement de considérer que le discours est sexué. Comment donc s'exprime la sexualité sinon par le langage ? A quoi nous soumettent ces savants praticiens qui énoncent une vérité d'une part, une autre vérité de l'autre : il y a une différence sexuelle mais non une sexualité du discours.

— Du côté des neurologues, cela donne : le cerveau est sexué, le langage, non, ou en tout cas, ce n'est pas notre problème.

Où donc trouver notre statut subjectif dans toutes ces désintégrations, ces éclatements, ces schizes, ou multiplicités, ces pertes d'identités corporelles ? Certes, les hommes se battent là avec l'absolu qu'ils ont créé. Après une propédeutique rigoureusement répressive à la Vérité, le devoir de se souvenir du passé, le respect du père et de Dieu comme tel, le passage du quantitatif au qualitatif, ils nous suggèrent comme méthodes : le « hasard », l'« accident », l'« ignorance », « le multiple », le « pluralisme », les « ruptures » avec le passé, l'« oubli », les « sauts », les « meurtres du père », etc. Les sciences et savoirs sont aujourd'hui un véritable apprentissage du négatif sans horizon positif, une sorte d'onto-théologie sans Dieu, sauf pour certains savants. Mais comment articulent-ils leur savoir, leur Dieu et une éthique humaine ?

Ne s'agit-il pas là d'une explosion ou décharge de modèles théoriques trop saturés ou trop entropiques, entraînant un risque considérable pour les corps et les intelligences humaines ?

b) Cette sorte de semi-défoulement culturel s'accompagne souvent d'une accélération des contradictions théoriques et pratiques, d'un éloignement de plus en plus grand de notre matière corporelle et de ses qualités, d'une quête de soi dans l'abstraction ou le rêve, d'un écart non pensé entre l'environnement technique, son influence sur nous et les entropies idéologiques qui ne peuvent se pondérer, selon moi, que dans la culture de nos corps *sexués*.

c) La plupart des savants ont perdu le contrôle de leurs découvertes soit qu'ils ne perçoivent plus eux-mêmes ce qu'ils font mais servent de relais au développement de théories ou techniques non produites par eux, soit qu'ils se sont tant éloignés de la philosophie, notre sagesse quotidienne, qu'ils ne pensent plus. Microscopes, macroscopes en main, les savants oublient leurs corps, la vie. C'était déjà vrai selon Platon. Mais c'est plus dangereux pour nous aujourd'hui. Et ça ne nous fait plus rire... L'épistémologie des sciences est loin de correspondre au niveau de l'expansion technique et de ses effets.

Je vais m'arrêter pour aujourd'hui. Vous attendiez peut-être de moi que je développe davantage ce dernier point. Ici, avec vous et après Tchernobyl, j'ai voulu parler de réalités humaines qui demandent des changements rapides auxquels vous pouvez contribuer. Il ne m'a pas semblé éthique de faire une élaboration épistémologique plus subtile sans proposer des modifications culturelles simples et efficaces qui nous donnent des chances de vivre. C'est le thème de vos journées de fête avec lequel je me sens en accord.

Vivre exige de savoir s'arrêter, réfléchir et même contempler pour devenir capables de nous situer individuellement et collectivement. C'est la condition d'une décision juste concernant des mesures sociales et culturelles. Nous en avons actuellement besoin pour réduire une escalade mondiale à l'entropie économique et culturelle. Ces mesures, les femmes doivent les demander, les réaliser, dans le respect de leurs corps et leurs libertés.

COMMENT DEVENIR DES FEMMES CIVILES ?

Rome, le 8 avril 1988.
Préparation au forum Le Temps des femmes.
Femmes du P.C.I. et revue Reti.

Dans *Speculum**, j'ai écrit (pp. 277-279) que, pour rétablir une éthique politique, une double dialectique est nécessaire, une dialectique pour le sujet masculin et une pour le sujet féminin. Aujourd'hui, je dirais qu'une triple dialectique est nécessaire : celle du sujet masculin, celle du sujet féminin, celle de leurs rapports en couple ou en communauté.

Le point faible et fort de cette recherche concerne la question de la subjectivité et de l'objectivité du côté des femmes.

Le monde est aujourd'hui dans une crise d'identité. Il me semble de bon augure pour le Parti communiste italien qu'il prenne conscience de cette crise notamment en ce qui concerne la question de la justice vis-à-vis des femmes. C'est pourquoi je suis ici avec l'espoir de vous donner quelques suggestions de médiations pour sortir de ce bouleversement d'identité.

Leur réalisation suppose de la part des femmes un double effort. Il est cruel mais vrai que, dans l'époque de l'Histoire que nous vivons, les femmes doivent faire beaucoup plus d'efforts que les hommes. Mais l'enjeu en vaut la peine. Il correspond au souci de la vie et de sa culture.

* *Speculum, de l'autre femme,* Éditions de Minuit, 1974.

Ce double effort pour les femmes consiste à interpréter leur situation ou statut actuels non seulement en termes économiques mais aussi en termes symboliques. Il leur est nécessaire de penser qu'il est aussi important, pour elles, de garder ou d'acquérir leur statut subjectif et objectif que d'entrer simplement dans les circuits économiques ou culturels existants. Sans la considération de cette double appartenance : être femmes et être unités du monde contemporain, les femmes risquent de tout perdre sans arriver à se faire reconnaître pour autant.

L'analyse de cette double référence demande aujourd'hui beaucoup de patience aux femmes qui travaillent et aux femmes qui essaient de penser, de se penser ; parfois ce sont les mêmes d'ailleurs. A peine admises à un travail d'ordre collectif, elles doivent s'auto-critiquer pour ne pas se soumettre à des lois autres que celles possibles pour elles.

C'est une tâche considérable — non rétribuée généralement et plutôt pénalisée — mais elle est nécessaire. La négliger ou l'exploiter aveuglément entraîne beaucoup de perturbations dans le monde politique d'aujourd'hui, en particulier entre les femmes.

Je voudrais donc vous apporter des éléments de ma réflexion — qui proviennent aussi d'une auto-critique permanente, parfois suite à la rencontre avec des groupes divers de femmes — pour tenter de résoudre quelques problèmes à la jonction de l'individuel et du collectif, jonction en question dans les sociétés d'aujourd'hui, ce qui amène les unes ou les uns à se replier sur une position individuelle, et les autres à se fondre ou s'anéantir dans un « on » ou un « ils » collectif qui ne semblent pas une solution aux nécessités politiques du monde.

Mes suggestions seront au nombre de quatre.

1. Les premières concernent le devenir du statut subjectif des filles et des garçons dans la relation à ce premier partenaire sexuel qui est la mère.

2. Ensuite, je parlerai de la désignation de l'identité professionnelle pour les femmes, question déjà connue de vous.

3. J'analyserai brièvement la dimension sexuée de l'objet ou des biens possédés par hommes et femmes.

4. Je vous suggérerai enfin des modifications concrètes à apporter dans le droit pour attribuer une identité civile aux femmes. Cette opération s'impose pour assurer une élémentaire justice sociale et elle est nécessaire pour retrouver un minimum de cohérence juridique.

Car que veut dire le travail et l'appartenance politique des femmes sans identité civile qui leur soit appropriée ? Ne risquent-elles pas d'y soutenir et d'y promouvoir un patrimoine et une société auxquels elles demeurent étrangères et qui, pour une part, les anéantissent comme personnes ?

Cette mutation juridique au sens strict doit d'ailleurs accompagner la mutation linguistique. L'organisation du droit reflète celle de la langue et réciproquement. Dans l'une comme dans l'autre, se multiplient aujourd'hui des apports pour une part hétérogènes et contradictoires que l'appel à un individu neutre ne peut résoudre, tandis qu'une carence d'un droit approprié des personnes se manifeste dans de multiples délits tels que les violences privées ou publiques exercées contre les femmes et leurs biens, le viol au sens strict, le commerce pornographique exercé sans la décision responsable des femmes, la prostitution involontaire, le rapt d'enfants, l'inceste (parfois suivi d'avortement imposé aux adolescentes) ou toute utilisation par les pères, frères, oncles ou autres membres de la famille de leurs corps, etc.

Ces manques du droit sont alors étrangement parallèles à ceux de la langue et du discours concernant l'identité des personnes lésées, ce qui redouble le dommage et sans recours possible.

1. Devenir du premier rapport a la mère et identité sexuelle

Enfants, nous sommes accouchés par une femme, nourris par *elle*, maternés par *elle*. Pour certaines de ces opérations, la nécessité vient de la nature (concevoir en soi-même, porter l'enfant, l'accoucher, l'allaiter...) ; pour d'autres, de la culture, du moins partiellement : materner. Mais, dans la plus grande partie des cas, l'enfant, garçon ou fille, a comme première interlocutrice : *elle,* la mère. *Il* est là mais avec un temps de relation avec l'enfant ou impossible (*in intéro* par exemple) ou très inférieur (maternage).

Or la langue dite maternelle inverse aujourd'hui les choses : *il* ou *ils* est là, sont là, partout ; *elle* est presque toujours effacé puisque tous les accords mixtes sont au masculin. Il ne s'agit pas seulement de l'accord des pronoms personnels sujets — où la question est moins évidente en italien qu'en français puisqu'ils ne sont pas nécessairement exprimés — mais de tous les accords grammaticaux concernant les autres pronoms, les participes, les adjectifs, les démonstratifs, les articles, etc. Pour employer le *elle,* il faut parler d'une femme seule dans une activité sociale, situation qui n'existe quasiment pas et pour laquelle la langue manque de lexique et de règles grammaticales. Je vais y revenir dans mes deuxième et troisième points.

Pourquoi faut-il que la femme soit seule et dans une activité sociale (il faudrait quasiment ajouter hors du mariage) pour que le *elle* se garde ? Parce que tout le collectif dans la vie sociale se dit au masculin pluriel. Mais dans la vie privée, la vie familiale, dites les domaines des femmes par excellence, plus de genre féminin non plus, sauf dans les relations primitives à la mère. Je veux dire par là qu'un couple se dit au masculin pluriel puisqu'il est formé de *il* + *elle ;* or *il* + *elle* = *ils*. Le féminin de la femme mariée devient donc il(s). Ou encore : une famille se désigne toujours par le masculin pluriel puisqu'elle comporte mari et femme, ou père et mère, et enfant(s). Aucune figure de la famille ne permet de maintenir une désignation du *elle,* première interlocutrice du sujet enfant. Cet *elle* est effacé déjà dans la communauté conjugale et familiale (institutionnelle ou non). Bébés filles et bébés garçons n'auront donc plus de désignation possible de leur mère comme *elle*. Dès qu'ils entreront dans l'ordre linguistique, ils seront en deuil de *elle*. Ce qui aura plusieurs conséquences :

a) Le garçon perd son interlocutrice sexuée. Plus de *tu* sexué féminin pour lui. Tous les interlocuteurs valables sont désormais des *il(s)*. La langue et la société, la société et la langue le veulent ainsi. Cette absence du féminin comme genre représentant la moitié des interlocuteurs aboutit à un manque d'identification des femmes comme sujets à qui l'on s'adresse. Le féminin n'a plus de statut d'interlocutrice existante valable. Les femmes sont des entités ou des choses, des sols, des fonds, des réserves qui enfantent, maternent, avec qui l'on fait l'amour, qui font le ménage, etc., mais non des partenaires du discours. Même la séduction, supposée être l'opération d'un sujet — plus ou moins diabolique — est, en fait, affaire de modes tributaires du commerce et de conventions sociales adaptées, le plus silencieusement possible, à l'univers de l'entre-ils.

Si l'enfant garçon est ainsi en deuil de sa partenaire mère, l'homme est en deuil de sa partenaire femme. Les hommes, selon la langue, restent entre pères et fils ou entre frères. Pour maintenir un *elle*, une *elle*, il faut restituer un droit à la virginité sans maternité. Seule l'identité virginale d'une fille resterait au féminin. Nos cultures le pressentent si bien que la représentation féminine la plus divine, Marie, y est figurée comme vierge, mère de fils. Marie plus Jésus, c'est encore *ils*. Ce qui demeure *elle*, c'est la fille vierge. Autre solution également nécessaire : restituer les généalogies féminines et les communautés des femmes entre elles. Ainsi le *elles* peut se garder. De ce point de vue, il faut souligner que la généalogie Anne → Marie, préliminaire à la naissance de celui qui s'appelle le Messie, est effacée, aujourd'hui, de la plupart des cultes chrétiens, et que personne ne sait généralement que Marie est dite conçue sans péché comme Jésus. Ce qui donne un autre sens à sa virginité notamment par rapport à sa propre mère : à son *elle*, à leur *elles*.

b) Car que se passe-t-il du point de vue de la fille selon nos codes symboliques ? Elle perd son identité sexuée. Cela veut dire qu'elle perd le *elle* maternel et le *elle* de son identité. Plus de *tu* féminin pour elle, la fille ; plus de *je* féminin non plus. La fille perd la relation à une interlocutrice de son genre, à un *tu* de son genre, et à un sujet, un *je*, de son genre. Elle est, en tant que femme, exclue des circuits de la communication intersubjective, hors des échanges verbaux qui sont des relations entre *ils*, entre représentants du genre masculin. Pour dire *elle*, il lui faut apprendre, malgré la langue et la société, à maintenir sa mère comme *elle*, et à se définir ou se garder *elle* par rapport aux autres femmes. Sinon elle doit s'identifier au genre masculin.

Deux conséquences très lourdes donc du privilège du pluriel masculin. Le garçon et l'homme n'ont plus d'interlocutrice(s), la fille et la femme n'ont plus de sujet linguistique ni d'interlocutrice(s). Le monde du discours tourne entre *ils*. Ce qui cause de sévères pathologies dans le statut de la subjectivité et des relations de communication. Brutalement, des personnes réelles ne sont pas représentées ou sont représentées autrement que selon leur sexe. Cela occasionne des perturbations dans la définition des sujets et objets de communication.

En termes psychanalytiques, il est possible d'affirmer que, dans nos langues du moins, le garçon ne résout pas son Œdipe, comme on dit. La fille non plus. La langue laisse les hommes entre eux, et prive les femmes de l'entre-elles. L'ordre linguistique ne permet pas le dilemme. Il dévalorise génériquement le féminin. Il survalorise le masculin.

Pour vérifier l'effet de ces règles grammaticales sur le sujet qui parle, j'ai fait passer de petites épreuves linguistiques à des populations de lycéen(ne)s et d'étudiant(e)s. Plus exactement, j'ai demandé à des amies ou amis enseignant(e)s [étranger(e)s à mon travail] de les faire passer. Les épreuves sont données oralement, les réponses sont écrites pour la plupart. Personnellement, j'ai recueilli quelques réponses orales. Les réponses sont alors un peu différentes mais pas sur les points que je vais exposer. Les populations, dont j'ai déjà analysé les résultats, sont aujourd'hui d'environ cent cinquante femmes et cent hommes*. Mais j'ai donné beaucoup de petites épreuves dont l'enjeu se recoupe et qui se vérifient entre elles. Ces épreuves linguistiques sont en ce moment à l'étude pour l'italien, l'anglais, le néerlandais et bientôt le japonais, le grec, l'allemand. Ceci afin d'étudier la manifestation de la différence des sexes dans différentes langues et cultures et les passages possibles entre elles. Un premier travail comparatif français, italien, anglais, sera publié prochainement en français dans un recueil intulé *Sexe et genres à travers les genres.*

Dans les résultats déjà obtenus à ces petites épreuves linguistiques sont confirmés les faits suivants concernant les relations possibles ou impossibles entre les sexes :

— Les hommes se désignent eux-mêmes ou leurs semblables comme sujets de la phrase. Cela apparaît soit explicitement dans les noms propres ou les pronoms, soit dans l'organisation syntaxique et les marques grammaticales de la phrase.

— Les hommes se parlent, communiquent entre eux, mais s'adressent peu aux femmes sauf quand le contenu du message les met en position maternante (par exemple : ils se plaignent parfois à *elle* plutôt qu'à *lui* ou à *eux*). Cela se manifeste dans les désignations de l'interlocuteur et les motifs ou objets d'échanges.

— Les femmes désignent peu elles-mêmes ou d'autres femmes comme sujets du discours. Elles mettent beaucoup plus les hommes en position de sujets de l'énoncé.

— Quand les femmes utilisent *je* comme sujet de la phrase, ce *je* femme s'adresse alors le plus souvent à un homme et non pas à une ou des

* A la date d'édition de ce volume, les échantillons sont beaucoup plus importants.

femmes. Il ne se rapporte pas non plus à lui-même (par exemple : « Je m'interroge », « Je me regarde pour moi-même », « Je me recueille », « Je me touche », etc.).

Ce type de réponses témoigne de la difficulté pour les femmes à :

a) s'auto-représenter ;

b) se dialectiser elles-mêmes comme sujet empirique ;

c) respecter leur mère et les autres femmes comme autres qu'elles ;

d) se donner des modèles, des projets, des idéaux, des divinités, etc. La plupart supportent mal que certaines le fassent. Nous devrions rester des sujets empiriques faisant masse avec des têtes masculines, devenir des têtes masculines, à moins de demeurer dans une sorte de *on* indifférencié et impersonnalisé plus ou moins dominé par des idéaux masculins.

Ces habitudes du discours qui apparaissent à travers les réponses recueillies posent de graves questions éthiques. En effet, les hommes y sont pratiquement les seuls sujets et les seuls interlocuteurs des échanges verbaux. Le fait qu'ils se soient substitués aux femmes pour gagner de l'argent, pour gérer la cité, s'est accompagné de l'appropriation à leurs besoins et désirs des règles et normes du discours. Ce qui n'a rien d'étonnant. Pour échanger des produits — cultivés ou fabriqués —, pour gouverner les citoyens, il faut des lois symboliques. Les hommes étant préposés à ces tâches, ces lois ont été appropriées par eux.

L'attribution de la reproduction et du soin du foyer domestique aux femmes n'exigeait pas d'elles un code linguistique très élaboré surtout depuis que l'éducation des enfants était confiée à l'école. Le langage du sujet féminin s'est donc réduit au minimum. Les femmes ont été amenées à parler des autres — hommes et enfants —, et non d'elles. Leurs propos concernaient les choses immédiates et concrètes : souci de la préparation de la nourriture, de l'entretien de la maison, par exemple. Dans les rapports à elles-mêmes, n'importaient que la toilette pour séduire et les questions concernant l'enfantement et l'éducation des jeunes enfants.

Ces dimensions du langage sont toujours présentes chez les femmes et elles ne sont pas négligeables dans une culture où la plupart des propos tenus ont perdu leur ancrage dans la réalité par un effet de répétitions d'un passé disparu ou d'abstractions qui perdent de vue leurs objets et leurs interlocuteurs.

Le discours des hommes concerne en priorité les techniques de production concurrentielle d'objets consommables et échangeables (même dans la plupart des loisirs...). Il se préoccupe peu de la culture du sujet sexué qu'est le locuteur masculin. Devenir homme correspondrait à s'éloigner de soi, de son environnement concret et vivant, à entrer dans un univers codé redoublant plus ou moins adéquatement la réalité, à acquérir l'aptitude à la compétition, à la guerre, etc. Il y a heureusement des exceptions à ces normes mais les règles sociales et linguistiques les entretiennent par tout un réseau d'habitudes et d'attributions de valeurs.

Par rapport à ces propriétés du discours masculin, les énoncés des femmes que j'ai recueillis et analysés manifestent des valeurs subjectives et objectives à conserver :

— Les femmes mettent beaucoup plus en scène la relation à l'*autre sexe,* alors que les hommes restent entre eux. Outre les normes de la société et de la langue, leurs propos témoignent d'un attrait pour les relations à l'autre sexe qui me semble lié à une culture de la vie.

— Les femmes s'intéressent beaucoup plus aux *autres* en général. Cela se marque, par exemple, dans l'importance des verbes transitifs avec un objet animé personne. « Je le lave », « M'aimes-tu ? » ou celle de prépositions exprimant l'intersubjectivité : avec, entre, à, pour, etc.

— Les femmes sont plus attentives à la question du *lieu* : elles sont auprès des choses, des autres (ce qui correspond à une des racines indo-européennes du verbe *être*).

— Les femmes se préoccupent davantage des *qualités* des personnes, des choses, de l'action. Leur discours contient plus d'adjectifs et d'adverbes que celui des hommes. Cela pose un problème linguistique très intéressant sur un discours antérieurement tenu par elles.

— Les femmes s'intéressent plus au *présent* et au *futur*, les hommes au passé.

— Les femmes sont plus soucieuses du *message* à transmettre que les hommes. Toujours, elles s'efforcent de dire quelque chose. Les hommes restent dans l'inertie ou le jeu linguistique à moins que leur message exprime leurs états d'âme.

Certaines composantes du discours tenu par les femmes sont donc à garder, d'autres à acquérir. En effet, l'accès ou le retour des femmes au travail collectif, aux lieux publics, aux relations sociales, exigent des mutations linguistiques. L'obligation de revoir la règle du pluriel mixte s'exprimant au masculin en est un exemple. Et à qui objecterait qu'il est impossible de modifier cette norme linguistique, qu'elle est d'ailleurs sans importance — le masculin représentant le terme « neutre » (?), le genre « non marqué » (?) —, je proposerais de voter la loi suivante : un an, le pluriel mixte sera masculin ; l'année suivante, il sera féminin. Ce procédé réellement démocratique ne sera pas sans effets qu'il conviendra d'analyser pour modifier l'inertie des normes linguistiques.

2. La désignation professionnelle des femmes

Un autre exemple évident des insuffisances linguistiques actuelles se manifeste dans la difficulté à désigner le statut professionnel des femmes. Si la question des noms de professions a un tel succès, c'est qu'elle représente un lieu intermédiaire entre sujet et objet. Il s'agit bien de *posséder* un statut professionnel, d'*avoir* un poste et de l'argent mais ce bien n'est pas possédable comme n'importe quel objet. Il fait partie de l'identité subjective bien qu'il ne suffise pas à la constituer. En plus, une telle revendication se conjugue facilement avec des revendications sociales déjà présentes dans le monde masculin. L'enjeu est donc relativement facile à poser. Il recueille l'adhésion quasi générale. Il ne voit souvent s'opposer à lui que des réalités déjà codées linguistiquement (exemple : *moissonneuse* et *cafetière* désignent des objets et ne sont pas transférés à la désignation des personnes sans connotations) et des résistances sociales selon les niveaux d'accès permis ou interdits aux femmes. Cela entraîne des anomalies linguistiques assez amusantes dont je voudrais vous lire un exemple. (Il est extrait du journal *L'Indépendant* du 3 septembre 1987 ; il correspond à une rubrique nécrologique ; c'est une linguiste, en quête des usages actuels de la langue, qui me l'a transmis.)

« Nicole Chouraqui, ancien secrétaire général adjoint du R.P.R., député européen, maire adjoint de Paris est décédée à son domicile parisien à l'âge de quarante-neuf ans des suites d'un cancer.

« Née à Alger le 18 mars 1938, cette économiste de formation, après une carrière d'analyste financier à la banque de l'Union parisienne de 1960 à 1966, s'était engagée dans la vie politique en adhérant au Parti radical. En 1970, elle rejoint le R.P.R., dont elle sera membre du bureau politique jusqu'en 1977, puis secrétaire général adjoint en 1978. Secrétaire national chargée du travail, de 1981 à 1984, elle est élue député européen en 1979 et réélue en 1984.

« Conseiller de Paris dans le XIXe arrondissement, adjoint au maire Jacques Chirac, elle était aussi conseiller régional d'Ile-de-France. Mariée à l'assureur Claude Chouraqui, elle était mère de deux filles. »

Cet exemple concerne l'annonce de la mort d'une femme politique. Je pense qu'il est significatif. Pour parler ainsi d'une femme *seule*, il faut peut-être qu'elle meure. Qui sait ? Dans cette petite rubrique, tout ce qui concerne l'identité strictement autorisée à une femme est au féminin, le reste est au masculin. Ainsi Nicole Chouraqui est bien :

— décédée à son domicile parisien à l'âge de quarante-neuf ans ;

— née à Alger le 18 mars 1938 ;

— mariée à l'assureur Claude Chouraqui ;

— et mère de deux filles (bravo pour « fille » et non « enfant », les mentalités évoluent !).

Mais le reste du petit texte manifeste des anomalies grammaticales, des flottements dans l'utilisation du genre qui montrent que nous sommes en pleine époque de transition à ce sujet.

Ainsi, Nicole Chouraqui est « ancien secrétaire général adjoint au R.P.R. » et non ancien*ne* secrétaire général*e* adjoint*e* au R.P.R. Est-ce parce qu'elle a elle-même ou que le R.P.R. a une secrétaire générale adjointe, une sténo-dactylo-informaticienne elle, sans conteste, du genre féminin ? Ou est-ce parce que le poste de secrétaire général adjoint au R.P.R. est quasiment toujours occupé par un homme et qu'il serait presque sacrilège de féminiser ce nom de profession élevée ? Ces deux alternatives rejoignent d'ailleurs la même question de la différence de valeur attribuée aux genres masculin et féminin.

Si je continue la lecture de ce petit texte, je vois que Nicole Chouraqui était « député européen » et non « député*e* » européen*ne* ou député « européen*ne* ». En effet, député est un participe passé nominalisé. Il pourrait facilement retrouver sa catégorie grammaticale et se mettre au féminin. Mais, s'il reste substantif masculin, l'adjectif qui l'accompagne peut-il se mettre au féminin pour désigner une femme ?

Je continue : Nicole Chouraqui est bien « cet*te* économiste de formation », l'économiste de formation peut rester du genre féminin. Par contre, « après une carrière d'*analyste financier* à la banque de l'Union parisienne de 1960 à 1966, elle s'était engagé*e* dans la vie politique en adhérant au Parti radical. En 1970, elle rejoint le R.P.R. dont elle devient secrétair*e* généra*l* adjoin*t*, en 1978 ». Nous retrouvons donc le masculin avec l'accès à la vie professionnelle et aux postes politiques valables. Les femmes peuvent poursuivre, en tant que femmes, la formation d'économiste mais non la carrière d'analyste financier ou de secrétaire général adjoint d'un parti.

Je continue : « Secrétaire national » (au masculin), elle peut néanmoins être, je cite, « chargé*e* du travail de 1981 à 1984 » féminin ! Je répète : « Secrétaire national chargé*e* du travail, de 1981 à 1984, elle est élue député européen en 1979 et réélue en 1984. » L'accord grammatical doit vraiment être repensé. Car, si Nicole Chouraqui était « Secrétaire chargée du travail », pourquoi n'était-elle pas secrétaire national*e*, par exemple ? Bref, ce petit papier, qui s'efforce certainement à la rigueur, nous donne une démonstration amusante de la difficulté actuelle de l'application du code grammatical concernant le genre et de la nécessité de son évolution. Car ce qui y est en question ne concerne pas un style, qui pourrait varier d'une publication à l'autre, mais un problème de règles et d'usages linguistiques.

3. Le sexe des objets et des biens

Les sujets féminins et leurs qualités professionnelles sont donc encore mal représentés au niveau linguistique. Et il n'est pas possible, en langues romanes, de rééquilibrer la valeur du féminin par la conquête de l'appropriation de biens ou d'objets. En effet, la différence des sexes ne se manifeste pas immédiatement au niveau de l'objet possédé en italien ou en français comme en anglais ou en allemand, par exemple. Le possessif prend, dans nos langues, le genre de l'objet et non celui du possesseur. On dit : Il ou elle voyage avec *sa* voiture ; il ou elle embrasse *son* enfant ; il ou elle a écrit *son* livre dans *sa* maison. Et, si une féministe anglo-saxonne peut se satisfaire d'avoir *sa* mari (comme lui a *son* femme), d'avoir acquis *sa* maison, d'avoir conquis *sa* poste universitaire, d'avoir écrit *sa* livre, etc., il n'en va pas de même pour nous qui avons une langue plus sédimentée du point de vue subjectif. Cela signifie que les relations sujets-objets sont beaucoup plus complexes et que les choses et les mots eux-mêmes y ont des propriétés sexuées comme les sujets.

Aujourd'hui, il est de mode de dire que le genre

des mots est arbitraire, sans aucune relation à la question du sexe. C'est inexact. Le genre des mots est, d'une façon ou d'une autre, correlié à la question du genre des sujets parlants. Les mots ont en quelque sorte un sexe caché, et ce sexe est inégalement valorisé suivant qu'il est masculin ou féminin. Ce fait n'est pas toujours immédiatement perceptible et il faut souvent réaliser des études approfondies, synchroniques et diachroniques, sur le lexique pour le faire apparaître. Ces recherches révèlent que le genre du mot peut s'expliquer, par exemple :

— par une identification sexuelle oubliée ;

— par une racine sémantique évoquant d'une façon ou d'une autre l'identité sexuelle ;

— par un préfixe ou un suffixe correliés à une action ou un état attribués plutôt à un sexe qu'à l'autre ;

— par l'époque où le mot s'est fixé dans la langue et la valeur corrélative des sexes à ce moment ;

— par la langue d'origine, etc.

Certaines attributions du genre aux mots semblent nettement liées à une identification de la réalité dénommée et du sexe du sujet. Ainsi, dans nos cultures romanes, le soleil est devenu l'emblème de l'homme, du dieu-homme : celui-ci est le soleil ou le soleil est lui. La lune, elle, devient alors la représentante du féminin, de la sœur du dieu-homme. La terre est dite aussi la sœur (ou la mère) dont le ciel est le frère (ou le père), etc. Il reste souvent quelque chose de cette identification dans le genre des mots. Et le genre masculin devient le plus valeureux à partir d'une certaine époque parce qu'il est supposé représenter le céleste et ses qualités spirituelles.

Un autre mécanisme que l'identification entre la réalité désignée et le sexe joue :

— les êtres vivants, animés, humains, cultivés, deviennent du masculin ;

— les objets privés de vie, inanimés, non humains, incultes, deviennent du féminin.

Cela veut dire que les hommes sont devenus les seuls sujets sociaux et que les femmes sont assimilées à des objets d'échanges entre eux.

Ce statut du genre des mots apparaît correlié avec les cultures patriarcales définies par l'échange des femmes entre hommes, la domination de la famille par le père et la patrilinéarité (ou la structure matrilinéaire avunculaire qui la précède), l'appropriation par l'homme-père des biens : terres, outils, maison, art, langage, dieux, ciel, etc. Le patriarche possède donc femmes et outils comme biens souvent marqués du genre féminin. Même la fonction maternelle, naturelle et spirituelle, succombe à cette assimilation par appropriation de la virginité féminine à l'établissement du pouvoir des dieux-pères des hommes. Ainsi Athéna est la vierge protectrice spirituelle de la nouvelle cité grecque de l'entre-hommes, Marie est la vierge-mère engendrant le Fils de l'Homme. Ces événements coïncident, hélas ! avec la disparition des généalogies divines féminines et des relations sociales entre femmes. Ils inaugurent un temps où la femme devient chose et les choses utiles à l'homme du genre féminin. C'est une des raisons pour lesquelles la désignation professionnelle des femmes fait souvent problème : le féminin du terme masculin est devenu le genre de la chose de l'homme (le moissonneur est un homme, la moissonneuse est un outil utile à l'homme).

Il y a donc une triple difficulté à utiliser ce mot pour nommer le statut professionnel d'une femme.

— L'homme tient au sexe de son outil qui relaie sa partenaire sexuelle.

— La femme ne veut pas d'une dénomination dévalorisante au niveau des personnes, et ce qui lui est proposé est un nom de chose ou un nom de personne avec un suffixe péjoratif : doctoresse, par exemple.

— Comment mettre une femme au travail avec une machine qui s'est substituée à elle ?

Ces questions sont donc complexes et au niveau de la langue et au niveau des statuts socio-économiques. Quand le linguiste ou le législateur prétendent que le genre masculin est une sorte de neutre indépendant du sexe des sujets, ils se trompent. Il y a bien deux sexes dans la langue et des valeurs différentes correliées à leur expression sous forme de noms, de pronoms, et de genres des mots.

Soutenir la neutralité de la dimension sexuée des mots avec l'argument : terme *générique* pour le masculin, terme *marqué* pour le féminin, c'est avouer involontairement l'inégalité des chances des deux genres. Mais l'impact de la langue est si fort qu'un certain nombre de femmes souhaitent s'assimiler au générique masculin et non valoriser le féminin comme générique. Je pense qu'elles oublient de se poser la question de leur statut de sujet sexué au niveau réel et imaginaire, et celle de l'économie de la langue qu'elles parlent.

En effet, si la question du sexe du sujet ne peut s'effacer dans tout l'univers du travail et des relations sociales où il est vite rappelé à une femme qu'elle est une femme et non un individu neutre, dans la possession de biens imaginaires, il en va de même. De ce point de vue, toutes les querelles autour du sexe du phallus me semblent plus problématiques dans nos langues où l'objet garde son genre et n'a pas celui de son possesseur. Autrement dit, si, dans certaines langues, une femme peut prétendre avoir sa pénis ou plutôt *sa* phallus, il n'en va pas de même pour nous. Nos langues ont une structure sujet ⇆ objet plus complexe, moins directement polarisée sur la possession de l'objet dont le sujet serait en quelque sorte un effet. Nos cultures sont des cultures plus élaborées subjectivement et il est souhaitable qu'elles le restent. De ce point de vue, il semble que certains marxistes italiens aient pressenti ou compris jusqu'à un certain point l'importance de la culture dans ce qui se désigne comme justice sociale. Il faut poursuivre leurs recherches ou méditations et ne pas penser qu'il est possible d'importer sans précautions dans une langue un modèle théorico-pratique mis en place dans une autre langue. Je pense, à ce propos, aux modèles les plus classiques du marxisme et de la psychanalyse. Leurs apports doivent être appropriés dans nos langues romanes, pour être réellement pertinents. Sinon ils risquent d'avoir comme effets ce qu'ils dénoncent eux-mêmes.

L'un et l'autre de ces modèles culturels contemporains ont parlé de l'irrésolu du côté des femmes. Freud a avoué son incompétence finale concernant ce « continent noir » et Marx a souligné que la première exploitation de l'homme par l'homme est une exploitation de la femme par l'homme notamment au niveau de la division du travail.

Comment donc résoudre ce problème d'inégalité de science et de justice en matière de différence sexuelle ?

Pour redonner une chance subjective aux femmes — et d'ailleurs aux hommes en tant qu'hommes également —, il faut aujourd'hui repasser par la question des droits attribués à l'un et l'autre sexe, droits entendus au sens juridique strict. Cela n'exclut pas une modification des systèmes symboliques mais doit nécessairement l'accompagner.

En effet, le droit écrit est un droit établi pour une société de l'entre-hommes. La sortie des femmes des maisons et de la famille, leur accès au monde du travail et des relations publiques met la juridiction actuelle en question surtout au niveau du droit des personnes. L'alibi de l'individu neutre ne résiste pas à l'épreuve de la réalité : les femmes sont enceintes, les hommes non ; les femmes et les petites filles sont violées, les garçons très rarement ; le corps des femmes et des filles sert à la prostitution et la pornographie involontaires, celui des hommes infiniment moins, etc. Et les exceptions à la norme ou l'habitude ne valent pas comme objections tant que la société est gérée majoritairement par les hommes, tant que ce sont eux qui édictent et exécutent les lois.

L'argument de la pluralité des citoyens ne vaut pas non plus. Dans la société, il existe deux sexes et non des hommes : jeunes, ouvriers, handicapés, immigrés, chômeurs, femmes, etc. L'urgence et la simplicité du problème juridique d'aujourd'hui en matière du droit des personnes fait retomber le politicien et le légiste dans un pathos plus ou moins religieux de la compassion pour des individus neutralisés sexuellement. Toutes les différences sont valables sauf celle constitutive d'une société : la différence sexuelle ! Il y a plusieurs causes à cette résistance :

a) la nécessité de repenser la séparation entre civil et religieux ;

b) le besoin de rééquilibrer les rapports droits-devoirs ;

c) une difficulté pour les hommes à admettre que les femmes sont des personnes majeures irréductibles à eux ;

d) l'impossibilité actuelle pour les hommes d'imaginer un droit étranger au concept d'égalité.

Il y en a d'autres, parmi lesquelles l'accélération aveugle de nos cultures vers un but imprécis voire inexistant : ce qui résulte d'un souci désordonné du profit et d'un mélange consécutif impensé des cultures et des langues.

En tant que femme, je souhaite vous suggérer — à vous femmes sensibilisées politiquement et travaillant dans des milieux mixtes — des modifications à demander aux légistes pour établir une identité civile des femmes. Plutôt que de lutter au coup par coup et toujours *contre*, telles des fillettes ou des adolescentes, je vous suggère de demander des droits *pour* nous, femmes. Certes, dans cette demande, il y aura un versant négatif, c'est-à-dire une part correspondant à la libération de l'emprise des femmes dans le droit patriarcal. Ainsi, malheureusement, le premier droit à demander est celui à la dignité humaine.

Je vais donc proposer, en style proche du code, quelques points d'une juridiction adaptée aux individus-femmes, en commençant par cet aspect de libération.

1. Le droit à la dignité humaine, donc :

— Plus d'utilisation commerciale de leurs corps ou de leurs images ;

— Des représentations valables d'elles-mêmes en gestes, en paroles et images dans tous les lieux publics ;

— Plus d'exploitation d'une partie fonctionnelle d'elles-mêmes par des pouvoirs civils et religieux : la maternité par exemple.

2. Le droit à l'identité humaine, soit :

— L'inscription juridique de la *virginité* comme composante de l'identité féminine non réductible à l'argent, non monnayable d'aucune manière par la famille, l'État ou la religion patriarcaux. Cette composante de l'identité féminine permet de donner à la fille un statut civil et un droit à conserver sa virginité (y compris pour son propre rapport au divin) aussi longtemps qu'il lui plaira, à porter plainte contre qui y porte atteinte dans ou hors de la famille. S'il est vrai que les filles sont moins échangées entre hommes dans nos cultures, il y reste de nombreux lieux de commerce de leur virginité et rien n'a remplacé le statut de l'identité des filles comme corps monnayables entre hommes. Les filles ont besoin d'une identité positive à laquelle se référer comme personne civile individuelle et sociale. Cette identité autonome des filles est également nécessaire au consentement libre des femmes aux relations amoureuses et à l'institution du mariage comme non-aliénation des femmes au pouvoir masculin.

— Le droit à la maternité comme composante de l'identité féminine. Si le corps est enjeu du droit, et il l'est, le corps féminin doit être identifié civilement comme vierge et potentiellement mère. Cela signifie que la femme disposera d'un droit civil à choisir d'être enceinte et le nombre de ses grossesses. C'est elle-même, ou un(e) fondé(e) de pouvoir par elle, qui inscrira la naissance de l'enfant dans les registres de l'état civil.

3. Les devoirs mutuels mères-enfants seront définis dans le code. Ceci pour que la mère puisse protéger ses enfants et en être assistée selon la loi. Cela lui permettra d'être plaignante au nom de la société civile en cas de viols, coups, rapts concernant les enfants, en particulier les filles. Les devoirs respectifs de la mère et du père feront l'objet d'une inscription différente.

4. Les femmes auront un droit civil à défendre leur vie et celle de leurs enfants, leurs lieux d'ha-

bitation, leurs traditions, leur religion contre toute décision unilatérale venant du droit masculin.

5. Au strict niveau financier :

— Le célibat ne sera pas pénalisé par la fiscalité ni aucune autre charge ;

— Si l'État veut donner des allocations familiales, elles seront égales pour chaque enfant ;

— Les médias, comme la télévision, pour lesquels les femmes paient les mêmes taxes que les hommes, leur seront adaptés par moitié.

6. Les systèmes d'échanges, linguistiques par exemple, seront remaniés pour assurer un droit à l'échange équivalent pour femmes et hommes.

7. Les femmes seront représentées à égalité dans tous les lieux de décisions civiles ou religieuses, la religion représentant aussi un pouvoir civil.

Ce sont quelques exemples de droits prioritaires à inscrire dans le code pour définir l'identité civile des femmes. Cela entraînera une redéfinition des droits et des devoirs des citoyens masculins. Le leurre d'individus neutres et plus ou moins égaux ne peut plus être soutenu aujourd'hui, notamment après les enseignements du marxisme, du freudisme, les mouvements de libération des femmes, les mouvements de libération sexuelle, les mouvements de libération sociale et religieuse, et aussi le brassage des cultures auquel nous assistons et dont nous devrions méditer les composantes essentielles.

Même dans les circuits du travail au sens strict, cette neutralisation des sexes est impossible. J'en donnerais trois exemples faciles à comprendre.

1. Les femmes ne peuvent se soumettre aux mêmes rythmes que les hommes pour différentes raisons et il n'est pas nécessaire que le rythme des hommes apparaisse comme la norme.

2. Les enjeux du travail, les moyens et techniques de production sont encore pour la plus grande part

définis par les hommes et il n'y a pas de motif que les femmes s'y soumettent comme à des modèles uniques ou meilleurs que ceux qu'elles définiraient.

3. Même dans les technologies basées sur le langage et son codage, il semble utile de revoir les rapports des femmes aux langages naturels et artificiels avant de conclure que leur accès facile à ce type de travail représente une victoire sociale pour elles. Il peut aussi contribuer à une aliénation plus subtile de leur identité, et, de ce fait, à un nouveau mode d'aliénation de l'ensemble du corps social.

Certes, un droit équivalent au travail et au salaire correspondant doit être acquis pour les deux sexes. Mais, pour que cette justice sociale existe, il faut simultanément, voire prioritairement, doter les femmes d'une identité civile, sinon les droits ne seront jamais définitivement, ni exhaustivement acquis.

C'est en tant que personnes civiles que les femmes doivent obtenir le droit au travail et au salaire et non en tant qu'hommes pourvus de quelques particularités problématiques : les règles, la grossesse, l'éducation des enfants, etc. Les femmes n'ont pas à mendier ni usurper une petite place dans la société patriarcale en se faisant passer pour des hommes à part entière à demi réussis. Elles représentent la moitié des citoyens du monde. Elles doivent obtenir l'identité civile avec les droits correspondant à cette identité : droits des personnes, droits concernant le travail, les biens, l'amour, la culture, etc.

DROITS ET DEVOIRS CIVILS POUR LES DEUX SEXES

Florence, le 10 septembre 1988.
*Fête de l'*Unità.

Je voudrais situer ce que je vais vous dire sous le signe de la responsabilité civile des femmes. Je ferai ainsi écho à un mot employé par Livia Turco* dans son exposé lors du forum *Il tempo delle donne*. Ce mot m'est cher comme il lui est cher et, si je vais parler des droits que doivent obtenir les femmes, je parlerai aussi de leurs devoirs, de la nécessité, pour elles, de jouir de droits civils pour respecter leurs droits civils.

A propos de droits et devoirs civils, je voudrais faire retour, une fois encore, à la figure d'Antigone à cause de son actualité et aussi parce que cette figure de femme est utilisée aujourd'hui pour réduire la tâche et la responsabilité politique des femmes.

Antigone, selon les interprétations les plus fréquentes qui en sont données — interprétations mythiques, métaphoriques, anhistoriques comme toutes celles qui désignent un éternel féminin —, Antigone serait une jeune fille qui s'oppose au pouvoir politique, considérant les gouvernants et les gouvernements comme méprisables. Antigone serait une sorte de jeune anarchiste, à tu et à toi avec le Seigneur, que son enthousiasme divin entraîne à anticiper sa propre mort plutôt que de prendre sa part de responsabilités dans la vie présente, donc

* *Cf.* note, p. 11.

aussi dans l'ordre de la cité. Antigone voudrait détruire l'ordre civil au nom d'un pathos familialo-religieux, un peu suicidaire, que seule sa jeunesse innocente et virginale excuserait, voire rendrait séduisant.

La démagogie concernant les jeunes est de nos temps à la mode. Ce qui explique cette dernière version d'Antigone que j'ai entendue discuter à la télévision française ce mois d'août par des hommes supposés faire autorité intellectuelle et spirituelle*. Telle est l'interprétation de la culture actuelle sur cette figure de femme qui nous est devenue mystérieuse. Antigone n'est rien de tout cela. Elle est jeune, il est vrai. Mais elle n'est ni anarchiste, ni suicidaire, ni insoucieuse de gouverner, comme cela s'est à nouveau affirmé lors de cette émission. Cela arrange tant de monde de dire que, si les femmes ne sont pas au gouvernement, c'est qu'elles ne veulent pas gouverner... Antigone gouverne autant que cela lui est permis. Elle objecte un ordre à un autre ordre à l'époque du début du pouvoir royal masculin. Antigone soutient la nécessité du respect de l'ordre sur les points suivants :

1. Il faut respecter l'ordre cosmique, en particulier la lumière du soleil et le lieu terrestre de l'habitation humaine.

2. Il faut respecter la généalogie maternelle et ne pas accepter qu'elle soit soumise à des guerres entre hommes pour l'accès au pouvoir. Respecter la généalogie maternelle suppose de prendre soin des corps vivants engendrés par la mère, de les inhumer s'ils sont morts, de ne pas préférer l'aîné au benjamin (soit Étéocle à Polynice), ni le fils à la fille.

* Émission « Océaniques » consacrée à *Antigone*, août 1988. Animateurs : Pierre-André Boutang et Georges Steiner.

3. Ces tâches font partie de l'ordre civil en ce temps lié au respect des dieux, les pouvoirs civiques et religieux n'étant pas dissociés à l'époque du droit féminin.

4. Les rites d'inhumation sont nécessaires pour que l'ordre soit maintenu dans la cité, pour protéger la terre et le ciel où elle est implantée.

Tout ce qui arrive de malheur à Antigone résulte du fait que Créon ne veut plus respecter ces lois élémentaires. Cela apparaît à l'occasion de l'inhumation de Polynice, du culte qui doit être rendu à un mort. Antigone ne veut ni le désordre ni la mort. Elle n'a aucun mépris a priori pour les gouvernants. Elle dit : la loi exige l'inhumation. Le corps des morts doit être enterré sous peine de faute civile et religieuse. Elle reproche au roi, Créon, de ne pas respecter l'ordre et d'être infidèle à la loi ; elle le fait au péril de sa vie mais certes pas par amour de la mort. Antigone n'est en rien le personnage fougueux, impatient, insoucieux des droits et des lois qui nous est proposé dans une alternative de désespoir subjectif ou de nihilisme décadent : il y aurait les pourris du pouvoir d'un côté et les jeunes anarchistes suicidaires de l'autre. Aux intellectuels qui se complaisent dans de tels dilemmes, je voudrais demander : « Que proposez-vous entre les pourris et les jeunes ? » à part vos complaisances funéraires, fussent-elles sincères. N'ont-elles pas perdu le souci de la vie et de la vérité et ne jouissent-elles pas, hélas ! pour cette raison même, d'un succès d'antenne ?

La vérité d'Antigone n'a rien à voir avec ces exhibitions théâtralo-pathétiques. Antigone n'est ni une énervée ni une exhibitionniste et, si vous voulez lui rendre un culte adéquat, un peu plus de rigueur s'impose.

Antigone respecte l'ordre naturel et social en respectant réellement (non métaphoriquement) la terre et le soleil, en respectant la généalogie maternelle en tant que fille, en respectant la loi orale par rapport à une loi écrite qui s'instaure et prétend l'ignorer. Telle est Antigone. Son exemple vaut toujours d'être médité comme figure de l'Histoire et comme identité ou identification de beaucoup de jeunes filles ou de femmes vivantes d'aujourd'hui. Pour cette méditation, il faut soustraire Antigone à tous les discours séducteurs et réducteurs et entendre ce qu'elle dit concernant le gouvernement de la cité, son ordre et ses lois.

Antigone indique à sa manière un chemin pour un retour du politique à l'objectivité. Elle affirme que l'emphase des discours séducteurs et vides, en vue de l'obtention d'un pouvoir, sème le désordre dans la cité, offense les dieux, désorganise les équilibres cosmiques eux-mêmes.

Elle rappelle que l'ordre terrestre ne correspond pas à un pur pouvoir social, qu'il doit être fondé sur l'économie de l'ordre cosmique, sur le respect de l'engendrement des vivants, sur l'attention portée à la généalogie maternelle, à ses dieux, à ses droits, à son organisation.

Face aux luttes pour le pouvoir entre hommes, aux conflits entre hommes à qui sera le roi, à cette escalade sans fin à qui sera supérieur à l'autre, et à n'importe quel prix, elle oppose son *non*. Elle atteste que l'ordre de la cité, la responsabilité politique ne peuvent signifier une polémique conflictuelle pour soi-même, « pour avoir sa place au soleil », pour satisfaire son désir voire sa cupidité, ce qui entraîne des guerres infinies. Elle dit que le droit a un contenu et que ce contenu il faut le respecter.

Ce contenu du droit civil, il semble qu'il est utile

aujourd'hui de le reconsidérer y compris à la lumière de la vérité d'Antigone.

En effet, depuis des siècles, les hommes gèrent la société. Ils ont donc défini les lois selon leurs conceptions — conscientes ou inconscientes, claires ou obscures — de la cité. Ils ont organisé tous les groupes humains selon leurs besoins ou désirs.

Le déclin de l'organisation familiale patriarcale, l'entrée ou le retour des femmes dans le monde public demandent une nouvelle gestion du civil. Il ne s'agit pas de reconduire la bipartition : hommes civils, femmes inciviles (dans ou hors du foyer domestique) mais de remodeler ou réorganiser la société civile en fonction des nécessités actuelles.

Aujourd'hui hommes et femmes sont incivils et ce n'est pas une prolifération de droits concernant l'acquisition ou la possession de biens, matériels et même spirituels, qui réglera la fondamentale incivilité entre les personnes. Certes le patriarcat s'est organisé en mettant l'accent sur l'enjeu des richesses plutôt que sur le respect de la vie et la nécessaire intersubjectivité entre les personnes pour qu'existe ce respect. De nos jours, nous sommes fascinés, fascinées, par des subtilités infinies concernant la fabrication, le commerce, la possession de biens. Nous ne savons presque plus rien du commerce entre les personnes. Nous sommes aliéné(e)s aux biens, à l'argent, aux échanges économiques au sens restreint jusqu'à y perdre notre plus élémentaire santé physique et morale.

Et je m'étonne que la plupart des professionnels ou représentants des pouvoirs spirituels parlent tant de sexe comme lieu de faute et de perte de divinité et si peu d'argent, sauf peut-être dans certaines théologies dites de la libération. Comme si la faute n'était pas la prostitution du sexe à l'argent et non le respect du sexe lui-même qui est condition de vie, d'amour, de génération et régénération du monde.

Mais puisque, sur ce point, je pense que vous êtes déjà sensibilisé(e)s, je voudrais passer à la façon d'instaurer ou restaurer des droits et devoirs civils pour les hommes et pour les femmes. Vous verrez d'ailleurs que toujours la question du respect entre les sexes, de l'identité civile équitable pour chaque sexe, sera intriquée à des problèmes d'argent ou, du moins, à la préférence de la possession de biens au respect des personnes.

Par qui commencer des hommes ou des femmes, des femmes ou des hommes, pour désigner les lieux d'incivilité ? Si je commence par les hommes, vous serez tentés de dire : nous nous y attendions, et d'entendre ce que je vais dire comme l'écho d'accusations agressives plutôt que d'écouter son contenu. Si je commence par les femmes, je paraîtrai injuste, du moins à mes yeux, car les femmes n'ont pas de droits en tant que femmes. Comment manqueraient-elles de respect à leur égard ? L'incivilité des femmes vient surtout du fait qu'elles ne réclament pas de droits qui leur soient appropriés. Je vais y revenir. Je voudrais d'abord indiquer en quoi la juridiction actuelle permet un manque de civisme chronique de la part des hommes vis-à-vis des femmes. Ce qui maintient celles-ci en tutelle ou en enfance politiques et explique qu'elles se satisfont trop souvent de rester des mineures ou des marginales par rapport à l'ordre de la cité, de même qu'elles ont pris le droit en horreur puisqu'il permet de tels abus. Cela ne ressemble pas à la figure d'Antigone. Par contre, dans ces abus de droits par les hommes, vous allez retrouver certains désordres déjà reprochés par Antigone au roi Créon, certains éléments d'un droit féminin qu'il conviendrait aujourd'hui d'inscrire dans le code.

Incivils, selon elle et selon moi, sont les hommes qui, pour de l'argent, se permettent de ne pas respecter la nature, le soleil et la terre, l'eau et l'air.

Incivils sont les hommes qui n'ont aucun souci du travail d'engendrement des femmes, qui détruisent leur corps ou celui des autres pour des enjeux de pouvoirs civils ou guerriers entre les hommes.

Incivils sont-ils aussi ceux qui se permettent de ne pas inhumer les morts en sorte qu'ils souillent le monde cosmique, celui des dieux et des vivants. Et vous pouvez comprendre ici aussi le poids légal de l'exigence d'Antigone vis-à-vis d'un tyran politique : à son époque, Créon.

Incivils sont les hommes qui ne respectent pas la généalogie des femmes, qui considèrent les enfants et, en particulier, les filles vierges comme leur bien. Cette façon d'user des filles est théorisée par les ethnologues comme la base de la culture. L'échange des vierges entre hommes, tel serait ce qui définit et maintient l'existence de notre culture. La seule rationalité à une telle conception de la culture est l'interdit de l'inceste fils-mère, père-fille, frère-sœur. On ne peut que s'étonner du fait que la non-réalisation de l'inceste réel aboutisse à de telles possessions des filles par les pères puis les maris. Ce qui correspond à des incestes symboliques. Mais les incestes réels existent aussi et beaucoup plus que cela ne se sait. Parmi mes amies, parmi les femmes qui se sont confiées à moi, beaucoup ont été violées d'une façon ou d'une autre par un membre masculin de leur famille : père, grand-père, beau-père, frère, etc. Si la fille mineure demande secours à l'État (commissariats, consulats, etc.), c'est au violeur qu'elle est rendue, en tout cas au père. Actuellement une fille violée par son père ou prisonnière de la famille en cas d'inceste à l'intérieur de celle-ci dispose de bien peu de recours légal ! L'inceste, l'avortement involontaire des adolescentes qui ainsi sont enceintes se passent à bas bruit. L'État cautionne cette barbarie des chefs de famille. La mère se tait car elle n'ose rien dire. Elle ne sait pas quoi dire d'ailleurs. Elle, non plus, la mère n'a aucun droit vis-à-vis de ses enfants contre le chef de famille. Du moins ses droits sont-ils difficiles à établir pour différentes raisons. Face à ces deux incivilités des hommes :

- posséder les vierges pour fonder l'ordre symbolique de leur culture,
- pratiquer en plus l'inceste réel au sein de la famille,

un recours juridique est nécessaire. Je propose d'inscrire le droit à la virginité comme appartenant à la fille et non au père, au frère, ou au futur mari. Autrement dit, je pense que le droit à la virginité doit faire partie de l'identité civile des filles en tant que droit au respect de l'intégrité physique et morale.

En effet, la virginité concerne un problème physiologique au sens strict : la garde ou la perte de l'hymen. Souvent les hommes ne se sont intéressés qu'à cet aspect des choses notamment pour monnayer la fille entre eux. Il faut que le droit civil protège aussi la fille de tout abus sexuel même étranger à la pure et simple défloration, qu'il lui garantisse son intégrité physique.

De ce point de vue, incivils encore sont les hommes qui violent, prostituent, possèdent les femmes sans leur accord responsable, c'est-à-dire sans réciprocité subjective garantie par le droit.

Incivils aussi sont les hommes qui abusent de l'image du corps des femmes à fins pornographique et publicitaire. Le droit doit protéger la virginité morale des filles par l'imposition d'images et de langage soucieux de la valeur de la sexualité des femmes. Cela signifie que les affichages publics, mais aussi les programmes ou publications médiatiques respecteront l'identité sexuelle féminine. Le corps des femmes ne pourra pas être représenté comme enjeu de pornographie ou de prostitution (plus ou moins relayées par la publicité) sous peine de délit d'ordre civil.

L'alibi qui circule que ce type d'affichage, en permettant les fantasmes, retarde ou relaie l'acte me semble d'une cruelle ironie dans des sociétés dites civilisées. Ce genre d'affirmations témoigne clairement que, dans nos sociétés, les femmes n'ont pas droit à la parole, qu'elles ne sont pas personnes civiles à part entière. Elles, elles n'argumenteraient pas ainsi sauf par soumission à l'identité sexuelle masculine. Tant qu'elles n'ont pas d'identité civile propre, il est hélas ! normal qu'elles se plient aux seuls modèles existants, modèles soi-disant neutres, en fait masculins. D'où la nécessité de redéfinir le contenu de l'objectivité du droit des personnes civiles en tant qu'hommes et que femmes — l'individu neutre n'étant qu'une fiction culturelle — et de tenter d'établir les bases juridiques d'une réciprocité possible entre les sexes.

En effet, incivils ou inciviques plus généralement sont les hommes qui contraignent les femmes à se plier à leurs normes, non seulement sexuelles, mais à toutes leurs normes. Ainsi il n'est pas juste que les buts et les conditions du travail soient définis uniquement par le monde de l'entre-hommes et que les femmes soient contraintes de s'y soumettre pour gagner légalement de l'argent. Les femmes représentent la moitié de la société humaine. Il est juste qu'elles définissent elles-mêmes les normes qui leur conviennent et non qu'elles doivent devenir des hommes à part entière pour accéder à l'ordre public. Il est juste aussi qu'elles puissent défendre, en tant que femmes, les valeurs qui leur sont chères.

J'ai cité en premier lieu la défense de leur corps par le droit à la virginité. Je mentionnerai en second lieu le droit à la libre disposition de leur corps en tant qu'il est lié à l'enfantement, soit le droit au choix de la maternité. J'insiste peu sur ce point car il a déjà été souvent abordé. Cela ne signifie pas que ce droit féminin ne doit pas être inscrit de façon définitive et sans restrictions dans le code civil. Il est nécessaire d'y ajouter, à mon avis, un droit préférentiel des mères vis-à-vis des enfants qu'elles ont engendrés. Certes ceux-ci ont été conçus par les femmes et les hommes, mais conçus seulement. Le travail de gestation, d'enfantement, de nourrissage et maternage est à la charge des femmes. Il y a bien sûr de par le monde quelques exceptions pour le maternage. Mais la démocratie telle qu'elle est entendue oblige à reconnaître que cela reste l'exception et je me demande, je vous demande, pourquoi, quand il s'agit des femmes, l'exception est toujours invoquée contre la norme. Quoi qu'il en soit du maternage, exceptionnellement exercé comme travail par les hommes, les femmes ont plus de souci de la vie de leurs enfants et de leur intégrité physique et morale. Il semble donc nécessaire qu'elles aient une aide de la société civile dans cette tâche, qu'elles soient les tutrices privilégiées des enfants mineurs et qu'elles disposent d'un recours légal contre la séduction ou le viol exercés vis-à-vis des enfants, contre les coups et blessures qui leur sont imposés dans le secret des familles, contre l'excès de travail qui est éventuellement exigé d'eux. Les devoirs mères-enfants doivent être réciproques selon moi. Un enfant aura donc le droit et le devoir de demander un secours civil pour sa mère si celle-ci est en danger, qu'il s'agisse de violences subies ou de pénuries économiques, par exemple. Bien sûr, les pères doivent garder des droits vis-à-vis de leurs enfants. Mais l'expérience prouve que leurs droits ne doivent pas être prioritaires car beaucoup en abusent ou disposent de ces droits sans contrepartie concernant leurs devoirs.

Cette conception des rapports mères-enfants devrait, selon moi, amener une modification de l'éducation à la maternité. Celle-ci deviendra une tâche à enjeu civil et non seulement privé — ce qui ne veut pas dire gérée par l'État. Cela obligera les femmes à respecter leurs enfants en tant que personnes autonomes, et les enfants à respecter de même leur mère. Il ne sera plus utile de prétexter l'indispensable fonction du père comme tiers. La société civile elle-même sera ce tiers, ce qui confère à la mère et aux enfants une responsabilité la concernant. Le père ne correspond pas à un tiers. Il est le partenaire amoureux de la mère. Cela ne revient pas au même. Pourquoi un parent serait-il en liaison duelle avec l'enfant et l'autre le tiers impartial ? Cette conception des relations parentales n'est valable que dans une société où seuls les hommes sont considérés comme des citoyens responsables, les femmes et les enfants restant des mineurs sous tutelle masculine, ou, autrement dit, des incultes sous-développés à la charge de la culture vraie, bonne et belle édictée par les maîtres-hommes.

L'incivilité des hommes s'exerce, en effet, sur ce point nodal, déterminant et permettant tout le reste : les hommes, et eux seuls, sont capables de gérer la cité, d'en édicter les normes civiles et religieuses. Ces normes, selon eux, équivalent à la vérité et il n'y en a pas d'autres possibles. Ces normes ont existé de toute éternité, en tout cas au sein de ce qu'ils appellent Histoire, leur Histoire.

Le reste ne serait que chaos, désordre, obscurité, diableries ou obscénité. Voilà la conception soi-disant rationnelle de l'évolution de l'humanité. Elle ne correspond qu'à quelques millénaires de notre culture. La vérité et la justice exigent que nous nous informions sur la façon dont ces critères ont été imposés comme seules normes d'une société et que les critères d'une autre culture soient envisagés comme critères possibles d'une organisation civile : le respect de la vie, de qui l'engendre, de la généalogie qui donne naissance ; le respect de la nature en tant que féconde, celui du lieu d'habitation, celui des déesses et dieux nécessaires à la sécurité et la spiritualisation des femmes et des hommes, celui des systèmes d'images et de symboles appropriés aux deux sexes ; le respect des filles et des benjamins sans privilège exorbitant de l'aîné du nom, etc.

Ces normes reviennent souvent à un ordre qui ne soumet pas la vie et sa culture au règne de l'argent. La misère de notre monde actuel vient de cette inversion : l'argent d'abord, la vie ensuite, sans analyse conséquente de la hiérarchie de ces valeurs. Car si la monnaie est nécessaire, elle ne l'est qu'en tant qu'elle reste au service de la vie. Sinon à quoi sert-elle ?

Si les hommes, sur bien des points, se comportent donc de manière incivile, s'ils semblent notamment responsables de l'inversion de priorité entre la vie et l'argent, les femmes, différemment, manquent à leurs devoirs de citoyennes. Les hommes sont incivils par excès de droits et défaut de devoirs, et les femmes par manque de droits, excès de devoirs dont elles se dépénalisent par des caprices, du subjectivisme sans limites sociales, qu'il s'agisse d'infantilisme persistant ou d'autoritarisme maternel s'étendant à la sphère sociale. Cette façon, pour elles, de participer à l'ordre ou au désordre civils était peut-être tolérable tant que cela se passait dans le secret des familles. Les femmes y passaient parfois leurs nerfs ou se dédommageaient de leur manque d'identité par l'autoritarisme à l'égard de leurs enfants. Elles se consolaient aussi de leur servitude par un relatif plaisir à être entretenues, par leurs désirs de recevoir ou d'acheter des cadeaux : meubles, toilettes, bijoux, etc. Tout cela reste complice du système économique dans lequel nous vivons encore.

Il devient de plus en plus clair que l'argent ne peut suffire à garantir l'identité ni la dignité humaines. L'argent que les femmes reçoivent comme prix de leur soumission au mari et à l'institution familiale utile à la nation, l'argent qu'elles acquièrent elles-mêmes et qui leur permet de relatives autonomie et liberté sociales, cet argent ne suffit pas à leur conférer une identité civile. L'autonomie économique des femmes fait apparaître que cette identité leur manque. La visibilité sociale des femmes a la même utilité. Elle ne suffit pas plus que l'argent à les rendre citoyennes. Ce qui peut les rendre telles, ce sont des droits et des devoirs civils qui leur correspondent.

Les droits obtenus par les femmes depuis quelques années sont pour la plupart des droits qui leur permettent de se glisser dans la peau des hommes, d'endosser l'identité dite masculine. Ces droits ne règlent pas les problèmes de leurs droits et devoirs en tant que femmes vis-à-vis d'elles-mêmes, de leurs enfants, des autres femmes, des hommes, de la société.

De plus, les droits obtenus par les femmes les mettent parfois dans une situation conflictuelle : elles peuvent choisir leurs maternités, par exemple, mais elles ne disposent pas d'une identité féminine qui leur permette de déterminer leur choix. Autre lieu de déséquilibre : leur assimilation à l'identité masculine les empêche d'exercer leur fonction de régulation vis-à-vis de l'ordre social ; ce qui fournit un bon alibi pour les renvoyer à la maison sous tutelle maritale avec l'espoir que l'influence des femmes dans le privé des familles aura un effet favorable sur le gouvernement public masculin.

Il faut ajouter que les droits obtenus par les femmes ne disent rien des devoirs des femmes entre elles. Si un homme peut faire à peu près ce qu'il veut à une femme, il en va de même d'une femme vis-à-vis d'une autre. Les fautes des femmes, sur ce point, sont trop souvent passées sous silence ou évaluées de manière passionnelle et non civile. Elles sont condamnées ou excusées sans mesures, sans estimation objective. Il conviendrait d'avoir vis-à-vis d'elles les mêmes concessions que vis-à-vis des enfants, des opprimés, des malades. Et il est vrai que, tant que les femmes ne jouissent pas de droits, elles n'accèdent pas à la maturité civile comme femmes. Mais cela justifie précisément d'exiger qu'elles aient des droits qui établissent des critères de responsabilité les concernant. Les relations secrètes, les rapports de simple contiguïté, les tutelles privées, le maternage spirituel ne valent que comme avant ou après l'établissement de droits civils pour chaque femme, l'obtention d'une liberté et d'une autonomie qui leur soient garanties par la société. Que les femmes s'assistent dans l'accès à la maturité privée ou publique est de nos jours indispensable, cela restera toujours souhaitable, mais cette assistance ne peut se substituer à une identité civilement définie. Les femmes ne peuvent se conférer plus ou moins clandestinement des droits en renonçant à leur citoyenneté. Elles ne peuvent reconduire leur mise à l'écart de la gestion de la cité, rester dans les relations sociales marginales, se substituer de manière ou d'autre à la mise en place d'organisations symboliques valables pour toutes les femmes. Celles d'un pays mais aussi celles du monde entier.

En effet, ce qui se passe du côté des femmes manifeste un besoin de nos sociétés : elles doivent réévaluer le droit à l'identité sexuelle. La dimension sexuelle (non le choix sexuel) doit être reconnue comme faisant partie de l'identité civile. C'est ce qui nous permettra de sublimer ladite sexualité autrement qu'au niveau des pulsions partielles, seule solution proposée par Freud. La reproduction servant — selon lui et les instances spirituelles qui nous font encore la loi — de seule régulation aux pulsions sexuelles. Or la reproduction n'a rien de spécifiquement humain ni sublime. Par contre, les droits à la virginité, à la maternité libre, à la tutelle privilégiée des enfants, au souci de l'habitation et des moyens d'expressions et de relations symboliques ne signifient pas des droits sans contrepartie de devoirs.

Avoir des droits — en tout cas au niveau des personnes — implique d'avoir des devoirs. Au niveau des biens, c'est moins simple... Ces droits que je demande pour les femmes ont comme enjeu de les faire se prendre elles-mêmes en charge socialement, de les rendre des citoyennes adultes responsables. A elles de protéger leur virginité, leur maternité, leur coin de nature, leur maison, leurs images, langages, dieu(x) ou déesse(s). A elles donc de devenir des sujets capables de sublimer leurs pulsions sexuelles, de cultiver leur sexualité, de lui donner un rythme, une temporalité, des enjeux. Pour cela les femmes ont besoin de droits.

Tous ces droits, que j'ai évoqués à propos de l'incivilité des hommes, rendraient les femmes responsables d'elles-mêmes et ne les laisseraient pas dans une perpétuelle revendication de mineures sociales. Elles deviendraient responsables de leur intégrité physique et morale, responsables de leurs maternités et de leurs enfants, responsables de leur site d'habitation et de leur maison, responsables de leur culture. Les femmes sont consciencieuses. Mais, pour qu'elles accomplissent une tâche, il faut qu'elle leur soit confiée. A défaut de telles responsabilités publiques, elles restent dans l'instabilité, l'insatisfaction, la critique. Seuls des droits civils sont susceptibles de les émanciper de ces comportements désordonnés et souvent stériles.

Toute relation sociale est toujours à quelque titre affaire de droits et de devoirs civils. Comment réorganiser, à notre époque, le problème des droits du côté des femmes ? Non pas en leur laissant des pouvoirs secondaires, des pouvoirs subjectifs ou plutôt subjectivistes de compensation, un individualisme maternel de substitution, ou des licences de pseudo bien-être. Les femmes auraient le droit d'être à l'aise dans les lieux publics comme elles ont eu le droit d'être à l'aise dans le privé des maisons. Nous savons aujourd'hui ce que cachent d'horreurs de telles aises. Nous savons à quelles violences privées ou publiques ont été soumises et sont soumises les femmes sous prétexte de vie plus facile pour elles, violences immédiates ou plus ou moins médiatisées par des images, des symboles, etc. L'aise à plusieurs n'est possible que dans des conditions restreintes, des occasions qui ne correspondent pas à l'habitude. Personnellement je l'ai rarement rencontrée comme norme dans un contexte collectif, y compris entre femmes. Chacune y va de ses passions, de ses envies de pouvoir, de son narcissisme, de ses humeurs, de ses limites pour tout dire. Ces limites sont d'ailleurs accentuées par deux éléments :

— la non-adaptation de l'ordre symbolique aux femmes ;

— la profonde aliénation individuelle et collective des femmes qui les aveugle sur elles-mêmes et les autres, surtout dans les comportements pratiques publics ou semi-publics.

Face à toutes ces difficultés, il me semble que les nécessités les plus impératives sont certes :

— d'ouvrir tous les lieux d'expression publique aux femmes,

— de leur donner travail et salaire correspondant à leur statut de citoyennes majeures,

— et surtout de les doter de droits qui leur permettent d'échapper à l'aliénation de la famille et de l'État, du monde de l'entre-hommes, mais aussi à l'aliénation possible venant des autres femmes.

Doter les femmes de droits individuels revient à reconnaître à chacune sa liberté et à lui donner la responsabilité de celle-ci. Revendiquer la liberté est juste. Cette revendication doit s'accompagner d'une maturité civile ou civique responsable. La meilleure façon de promouvoir cette maturité est de doter les femmes de droits qui leur soient appropriés et de les obliger à les respecter, à se respecter.

Cette étape juridique signifie une réelle mutation historique et non des fluctuations d'influences à l'intérieur de normes et de pouvoirs demeurant inchangés. Les mouvements de libération des femmes ne peuvent accomplir leur tâche sans exiger la mise en place de droits civils adaptés aux femmes : droits concernant leurs relations à elles-mêmes, à leurs enfants, aux hommes mais aussi aux femmes ; droits objectifs, visibles, vérifiables ; droits qui ne s'exercent pas en secret et de manière plus ou moins persécutive mais qui fonctionnent avec un tiers garant : la société civile.

Cette objectivité des droits civils féminins devrait

être établie par une nation mais aussi faire l'objet de conventions internationales. Les ghettos locaux ou nationaux ne me semblent pas convenir aux nécessités du monde actuel même si la vocation des femmes reste de protéger les habitations et les sites locaux. L'un n'empêche pas l'autre. Je veux dire par là qu'un droit local ou national des femmes est inadapté aux besoins juridiques de toutes les femmes, besoins qui doivent être redéfinis à notre époque. De plus un pouvoir local et surtout national est suspect internationalement. Une force sans rationalité partageable au-delà des frontières d'un pays ne se développe pas sans risque politique. Cela ne signifie pas évidemment qu'une nation ne puisse pas être la première à réaliser des mutations dans l'ordre civil. Cela veut dire que des réformes concernant l'identité sexuelle doivent être potentiellement mondiales.

Exercer la politique consiste, selon moi, à faire respecter les droits et les devoirs de chacun et de chacune, du moins en régime dit démocratique. Cette gestion du politique nécessite la mise en place d'un nouveau code civil, notamment en matière de respect du droit des personnes. Les discours des politiciens sont devenus le plus souvent séducteurs et vides, moralisateurs et pathétiques (en particulier en ce qui concerne les ouvriers, les chômeurs, les jeunes, les handicapés, le tiers monde, etc.), à moins qu'ils ne se réduisent à des affrontements personnels. Il n'est plus là vraiment question de gouvernement civil. Quand j'écoute aujourd'hui des discours de politiciens, je cherche souvent vainement ce qui en règle le contenu. J'y entends plus ou moins d'habileté, plus ou moins d'intelligence, plus ou moins d'inconscience. J'entends bien peu une logique explicitant une option d'organisation civile.

Le comble de l'art en la matière est de se faire élire comme candidat démocratique sans programme. Cela témoigne peut-être d'une certaine connaissance des mécanismes transférentiels. Mais que signifie se faire élire comme personne et non comme programme ? Je vous laisse le choix du mot ou du jugement. Ce cas caricatural existe. Il me semble l'aboutissement de la réduction des éligibles à la moitié des élisants. Élire des hommes correspond déjà à élire une classe de personnes et non des contenus de programmes politiques. Le reste s'ensuit. Les discours électoraux témoignent bien d'une volonté des hommes de se maintenir au pouvoir dans la plupart des cas. Mais pourquoi le veulent-ils ? C'est beaucoup moins clair. Comme me le disaient des amis commerçants lors de la dernière campagne présidentielle française : Pourquoi se donnent-ils tant de mal s'il s'agit de rendre service ? Ou alors que veulent-ils ?

Que veulent-ils en effet ? Parfois je me demande s'ils le savent clairement eux-mêmes. En tout cas ils ne le font pas savoir aux électeurs ni électrices. Les enjeux négatifs et critiques sont parfois clairs, les autres inexistants ou très confus. « Je veux le bien de mon pays », affirme l'un ou l'autre. Quel est le sens d'un tel propos et que donne-t-il comme enjeu objectif de décision démocratique le concernant ? Aucun. Il n'est là question que de faire allégeance à qui serait supposé savoir régler les choses au coup par coup. Toute autre pensée sur un futur possible, tout projet qui dépasse le déjà existant ou la critique du passé, est de nos jours immédiatement qualifié de mystique, utopique, démagogique. Surtout si ceux-ci émanent d'une femme ? N'est-ce pas ainsi qu'était encore récemment décrite Antigone contre toute réalité ? Elle était, de plus, toujours contre toute réalité — historique notamment —, assimilée à l'écrivain Simone Weil. Ce qui n'a pas grand sens sinon un effet de mode, y compris de librairie, dont Antigone et Simone Weil risquent d'être les victimes.

Nous en sommes arrivés à un tel point de confusion que le moindre énoncé de bon sens soulève des remous mondiaux : par exemple les propos ou décisions concernant le désarmement. Il ne s'agit pourtant là que des préliminaires indispensables à la gestion d'une société civile. Celle-ci, à l'époque où nous vivons, exige que les relations publiques soient des lieux de réciprocité entre les individus. Il ne convient pas que le seul médiateur civil soit l'argent. Il ne convient pas que les relations entre les personnes soient sans cesse conflictuelles et hiérarchisées par des pouvoirs liés à la possession d'objets et non aux qualités et à l'expérience des personnes. Le lieu à partir duquel ce montage social non démocratique, forcément individualiste et conflictuel, s'instaure réside dans les relations entre les sexes.

Le P.C.I. manifeste une certaine compréhension de cet enjeu, d'ailleurs inscrit dans la théorie marxiste. Je souhaite qu'il réalise ou soutienne par des projets législatifs cette prise de conscience concernant l'exploitation actuellement existante entre les sexes, exploitation qui détermine la plupart sinon toutes les autres aliénations sociales. Cette démarche correspondrait aux qualités traditionnellement présentes dans ce parti italien : un souci de ne pas disjoindre l'économique du culturel. Ce qui permet de proposer des programmes de mutations sociales intelligentes et pacifiquement réalisables.

LE MYSTÈRE OUBLIÉ DES GÉNÉALOGIES FÉMININES

Syracuse, le 31 mars 1989,
Commune et éditions Ombre.
Palerme, le 3 avril 1989,
Centre de recherche des femmes D. et université (psychologie sociale).
Ternes, le 2 juin 1989,
Commune, Projet femme.

Dans certaines traditions, anciennes mais très évoluées, c'est la femme qui initie l'homme à l'amour. Cette initiation ne signifie pas la mise en œuvre d'un ensemble de trucs pour éveiller une jouissance élémentaire chez l'homme, elle ne correspond pas à de la séduction féminine déterminée par les instincts masculins les plus rudimentaires. Ces procédés ne sont que des pauvres restes du rôle de la femme dans l'amour. Le commerce pornographique d'aujourd'hui voudrait nous faire croire que l'érotisme se réduit à cela, que nous ne sommes capables, nous les humains, de rien d'autre. L'érotisme, pour nous, serait drogue, oubli de nous, prostitution des femmes aux pulsions masculines, « petite mort » pour les hommes, déchéance, anéantissement, etc.

Ce schéma de l'amour est encore théorisé par Freud comme le seul possible. Et les hommes — parfois les femmes — les plus intelligents de notre époque soutiennent qu'éros est chaos, nuit, bestialité, faute, anéantissement, mais que nous devons nous soumettre à éros pour nous soulager de nos tensions, nous en décharger, « décharger », et revenir au repos.

Pauvre Éros ! Pauvre amour ! D'autant plus que la culture actuelle n'imagine même plus qu'elle pourrait se tromper ou évoluer sur ce point. Éros, c'est cela, et ce qui n'est pas cela, c'est agapè, l'amour sans éros. Si vous ne voulez pas déchoir ou pécher, vous vous abstenez de pratiques sexuelles. Si vous acceptez de déchoir, vous pouvez masquer ou racheter cette déchéance en l'utilisant pour procréer.

Qui sommes-nous devenus pour être si pauvres en amour ? Ce qui n'empêche pas toutes sortes de complexités pornographiques ou théologiques. Nous sommes devenus pulsionnellement unisexes. Cela veut dire que nous sommes retournés au chaos antérieur à la différenciation des personnes et que l'érotisme y correspond à une sorte de pulsion aveugle, quasi permanente, incapable de se scander ou de s'harmoniser, de prendre ou donner formes, sauf dans la reproduction. Nous sommes retournés, retournées, au chaos primitif, masculin-neutre selon notre mythologie. La seule chose qui nous permet d'émerger de cet abîme indifférencié est la manifestation de nous dans les enfants que nous engendrons. Nos attraits, nos amours, nos étreintes, seraient redevenus chaotiques, en-deçà de l'individuation, non définis quant à nos apparences humaines. Nous n'y serions ni hommes ni femmes parce que pas encore hommes et femmes, encore dans l'abîme d'un humain indifférencié, pôle masculin dans l'Eros le plus archaïque.

N'est-ce pas exactement ainsi que Freud décrit la libido ? Masculine, au mieux neutre, donc apparentée au chaos primitif précédant la définition des personnes, notamment dans leur appartenance sexuée.

A cette époque, historique et/ou mythique, époque encore actuelle, Éros ne pousse à s'accoupler que pour multiplier les descendants et y faire apparaître des formes plus clairement manifestées. Éros pousse à s'accoupler le Chaos neutre et la terre : Gaïa, pour qu'ils produisent des rejetons dans lesquels ils découvrent leurs propres formes.

Les premiers rejetons provenant de l'abîme masculin seront l'Érèbe et la nuit, ensuite l'éther et le jour, d'abord comme espaces ensuite comme temps. Du côté de Gaïa, les premiers engendrés sont Ouranos, le ciel, et Pontos, les océans, qui la délimitent et la définissent comme terre, comme pôle féminin, par rapport à quoi ou à qui elle enfante.

Éros, en obligeant à s'accoupler des entités encore peu différenciées sexuellement — Chaos et Gaïa —, les amène à mettre au jour des êtres sexués. Ainsi la différence sexuelle apparaît-elle à travers les enfants conçus. Mais le pôle masculin des premiers accouplements refuse la naissance de ses enfants parce qu'ils l'empêchent d'être le seul amant de la terre. Il prétend les faire rester dans le ventre de leur mère, ce qui entraîne de grandes souffrances pour elle. Le fils le plus jeune de celle-ci châtre donc l'amant insatiable et le père meurtrier. Il accomplit cette opération de l'intérieur même du corps de sa mère quand Ouranos s'en approche. Le sang de cette castration tombe sur la terre et il en naîtra les Érinyes, les Géants et les Nymphes méliennes. Le sperme, lui, flotte à la surface de l'eau après que le fils ait jeté le sexe à la mer. De cette écume naît Aphrodite. Elle est conçue un peu à la manière des poissons : hors du ventre maternel et sans accouplement.

Aphrodite est donc conçue dans l'océan par le sperme d'Ouranos selon Hésiode ou par Zeus et Dioné selon d'autres versions, en particulier celle rapportée dans les poèmes homériques. Dioné, divinité peu connue, a comme rôle d'enfanter Aphrodite avec Zeus dont elle est l'équivalent féminin. Dioné signifie Dieue.

Aphrodite serait donc, dans une tradition plus

ancienne et plus cosmogonique, fille de l'océan fécondé par le sperme divin d'Ouranos, le ciel, hors d'un accouplement personnalisé. Elle serait alors fille de pôles cosmiques plus masculin ou plus féminin engendrés par Gaïa, conçue et portée dans l'élément liquide de l'univers en dehors de tout corps humain.

Les mythes ne sont pas univoques ni intemporels comme il se dit. Et Aphrodite, comme toutes les grandes divinités de l'Antiquité, est figurée de diverses manières. Une version postérieure à celle de la cosmogonie d'Hésiode (ce qui ne signifie pas nécessairement écrite après même si sa signification est postérieure dans l'ordre d'apparition des vivants de ce monde) explique la naissance d'Aphrodite comme celle d'une fille engendrée par Dieu et Dieue, donc d'une fille des Dieux des dieux mâles et femelles. Elle représenterait un phénomène peut-être unique dans nos cultures.

Aphrodite occupe ainsi une place très particulière entre nature, dieux et manifestation humaine. Elle représente l'incarnation de l'amour, déjà sexué dans ses formes — homme et femme — mais proche encore du cosmos. L'émergence de cet amour humain a lieu dans une femme. Contrairement à ce qui se dit ou se croit généralement, Aphrodite n'est pas une figure ou divinité incitant à la débauche sexuelle mais elle manifeste la spiritualisation possible des pulsions ou instincts aveugles par la tendresse, l'affection (*cf.* Hésiode, *Théogonie,* 205-206, par exemple). Ces qualités de l'amour ne s'opposent pas à l'acte charnel, au contraire. Elles lui donnent sa dimension humaine. En grec, l'attribut spécifique d'Aphrodite se désigne par *philotès* : la tendresse. Il n'est pas question alors d'agapè sans éros mais des deux réunis dans un amour à la fois charnel et spirituel.

Cette définition de l'amour demande que les sexes soient clairement distingués, qu'une distance les sépare et les sépare du cosmos, qu'ils ne soient pas réduits à une copulation constante ni à un accouplement ne visant qu'à engendrer.

Aphrodite est — à son époque — l'incarnation de l'amour devenant liberté et désir humains. Cette incarnation est féminine et elle représente quasiment l'envers de l'Ève séductrice. Elle est l'avènement de l'esprit dans la chair, notamment entre les sexes, grâce à la *philotès* féminine de la déesse.

Cela suppose, bien sûr, que la femme soit libre de ses gestes et de ses paroles et que, cette liberté, elle l'utilise à diviniser nos corps humains et non à les faire régresser à l'état animal ou élémentaire indifférencié. Cette élévation de l'amour à l'identité humaine et divine est, du point de vue de la genèse de notre culture, affaire de femme. Et quand les femmes en sont éloignées ou dépossédées, quand leur divinité en tant qu'amantes est oubliée, l'amour redevient pulsions à la limite de l'animalité, sublimation (?) désincarnée de celles-ci ou mort.

La destruction ou l'oubli de la *philotès* dans l'amour réinstaure une sorte de chaos primitif, dont l'instinct masculin est l'agent plus ou moins neutre, ou un au-delà de l'incarnation humaine, reversement ou renversement du chaos primitif dans un Dieu mâle unique qui ne nous enseigne plus la divinité de l'amour entre femme et homme.

Ce renvoi, déplacement ou extase du chaos dans l'au-delà, sans sublimation correcte de l'amour entre les humains, nous laisse sans lois en ce qui concerne la différence des sexes et le respect de la nature comme micro et macrocosme. La procréation devient alors nécessaire comme sortie du chaos et suspens d'un coït perpétuel.

Dans une telle perspective, il est possible de

comprendre que l'amour apparaît comme faute. Il détruit, en effet, l'identité humaine. Il anéantit les corps et les esprits dans une pulsion à l'accouplement perpétuelle et indifférenciée, sans repos ni répit, sans intelligence ni beauté, sans respect de l'humain vivant, sans divinisation adéquate de celuici. Dans l'incessant de cette pulsion, les rythmes mêmes de la croissance naturelle sont abolis — et en particulier la naissance —, car elle est apparentée à un masculin-neutre impérialiste, déraciné de l'espace-temps de la vie terrestre.

De ce chaos primitif, nous ne sommes pas loin aujourd'hui. Et les théories de Freud, pour une part, le révèlent à l'œuvre et, pour une autre part, l'entretiennent. La libido, selon lui, est en effet proche de ces pulsions masculines ou neutres correspondant à ce que l'histoire des mythes (l'Histoire sous forme de mythes ?) nous décrit comme la manifestation de la sexualité du pôle mâle primitif : Ouranos.

Certes, les pulsions partielles seraient susceptibles de sublimation. Cela veut dire que nous pourrions faire du théâtre pour transformer nos envies exhibitionnistes ou voyeuristes, par exemple. Mais rien ne nous permettrait de sublimer les pulsions génitales, celles correspondant à la différence sexuelle proprement dite. La procréation serait la subsistance, transformée en devoir religieux et civil, d'un remède au chaos primitif toujours présent.

Ce chaos pourrait se désigner comme pulsions de vie en tant qu'attrait sans rapport à l'individuation des personnes, attrait masculin ou neutre déterminé sans doute par un désir de retour au sein maternel et de possession exclusive de la fécondité de ce lieu pour entretenir sa propre vitalité. La plus positif de l'amour resterait l'envie de régresser dans le tout de ce qui engendre sans respect du corps ni du sexe de qui engendre. Le plus négatif correspondrait au besoin de détruire, y compris soi, y compris la vie et qui la donne, par destructuration de toute cohésion. Cela reviendrait à réduire toute unité en ses plus petits atomes sans retour possible à un ensemble.

Certes le négatif des pulsions de mort apparaît assez facilement. Ce qui a été bien peu souligné, aveuglément contesté, c'est la destruction à l'œuvre dans les pulsions de vie elles-mêmes en tant qu'elles ne respectent pas l'autre, et en particulier l'autre de la différence sexuelle. Si Freud termine sa vie dans un tel pessimisme sur l'avenir de la culture, si la psychanalyse a produit des effets bien problématiques dans les relations privées et collectives, c'est au fond que Freud ne parle que de sexualité masculine archaïque et que, s'en tenir à un pôle de la différence sexuelle, revient à s'en tenir au chaos d'un désir primitif avant toute incarnation humaine. L'homme de Freud ressemble à l'Ouranos de la mythologie grecque qui n'a d'autre envie que de pratiquer l'inceste sans arrêt et qui ne veut aucun enfant de tels accouplements, non par vertu mais par jalousie, parce que ses enfants limiteraient l'indéterminé de son pouvoir et le sans-borne de ses attraits. L'abîme n'y correspond donc pas au sexe féminin mais au manque de rythme et d'harmonie des désirs masculins qui refusent en particulier toute manifestation de la différence des sexes pour s'approprier la fécondité du corps maternel.

Poussé par éros, l'homme s'immerge dans le chaos parce qu'il refuse de faire l'amour *avec* une autre, d'être *deux* dans l'amour, de vivre avec tendresse et respect l'attrait sexuel. La sexualité masculine a de nouveau anéanti l'individuation humaine, notamment en confiant la responsabilité d'éros à l'homme et non à la femme : ce qui signifie aux deux, selon la tradition. La sexualité la plus courante en Occident, celle décrite par Freud, celle interdite ou blâmée par les autorités spirituelles mais encouragée par les médias et les publicistes sans le moindre souci des personnes ni une réglementation civile cohérente, correspond à une sexualité masculine élémentaire, soi-disant irrésistible et utile à la reproduction de l'espèce, sexualité qui a détruit la *philotès* d'Aphrodite.

Aujourd'hui, il est admis que c'est l'homme qui doit initier la femme à l'amour et qu'il peut le faire sans éducation ni culture, comme s'il était, du fait d'être homme, savant en amour. Le plus souvent, l'homme n'initie pas la femme à grand-chose sinon à un plaisir que la société s'efforce de lui interdire en dehors de l'homme pour l'amener au culte de celui-ci. Ce plaisir révélé par l'amant est tributaire d'instincts et pulsions masculines dont il est souvent bien difficile de définir ce qu'ils gardent d'humain (sinon peut-être l'obscur besoin de l'homme de régresser dans le sein maternel, si tant est que ce soit humain). L'homme-amant entraîne ainsi la femme à l'oubli d'elle-même, à la déchéance d'elle-même, même si cette déchéance lui procure de la jouissance. Je veux dire par là que l'initiation à l'amour n'a plus rien de très subtil ni spirituel (à part quelques rares exceptions) et qu'elle ne tient pas compte des qualités différentes de l'homme et de la femme pour en épanouir l'incarnation. Il est admis qu'éros détruit l'identité et non qu'il l'accomplit. Ce qui revient toujours à régresser à une économie du désir antérieur à la naissance d'Aphrodite, à ce désir séparé de l'amour que nous enseignent les psychanalystes, par exemple.

Le chemin de l'amour réciproque entre les personnes est perdu notamment en ce qui concerne l'érotisme. Et celui-ci, au lieu de servir à l'individuation, à la création ou recréation des formes humaines, sert à la destruction ou à la perte d'identité dans la fusion, et au retour à un niveau de tension toujours le même et le plus bas, sans devenir ni croissance. Éros ne pourrait que revenir à une sorte de degré zéro, sorte de point d'équilibre pour l'homme ; il ne serait pas susceptible d'un futur positif ici-bas.

Cette conception de l'amour a entraîné les femmes à l'oubli d'elles-mêmes, à la soumission puérile ou esclave à la sexualité masculine et au fait de se consoler de la déchéance et de l'exil d'elles-mêmes par la maternité. Cette maternité — promue par les chefs spirituels comme le seul destin valable pour les femmes — signifie le plus souvent perpétuer une généalogie de type patriarcal en faisant des enfants au mari, à l'État, aux pouvoirs culturels masculins ; ce qui aide les hommes à sortir d'un désir incestueux immédiat. Pour les femmes, plus secrètement, la maternité représente le seul remède contre la déréliction ou la déchéance imposées dans l'amour par les instincts masculins, et aussi un chemin pour renouer avec leur mère et les autres femmes.

Comment en sommes-nous arrivés là, nous tous, et, en particulier, nous les femmes ? Un des carrefours perdus de notre devenir femme se situe dans le brouillage et l'effacement des relations à notre mère et dans l'obligation de nous soumettre aux lois du monde de l'entre-hommes.

La destruction de la généalogie féminine, en particulier dans sa dimension divine, se dit de diverses manières à travers les mythes et tragédies grecs. Il n'est plus parlé de la mère d'Aphrodite, Héra l'aurait supplantée, et Zeus reste le Dieu aux multiples amantes mais sans équivalent féminin. La déesse Aphrodite a donc en quelque sorte perdu sa mère. Iphigénie est séparée de sa mère pour être offerte en holocauste dans la guerre de Troie. Si la parole oraculaire se transmettait originellement de mère en fille, à partir d'Apollon elle s'assimile souvent à l'oracle de Delphes qui fait encore une place à la Pythie mais non aux relations mère-fille. La foi d'Antigone, sa fidélité à la généalogie maternelle et à ses lois, sont punies de mort par le tyran Créon, son oncle, pour s'assurer le pouvoir dans la cité. L'Ancien Testament ne nous parle d'aucun couple heureux mère-fille et Ève vient au monde sans mère. Si on connaît une mère à Marie — Anne —, le Nouveau Testament ne nous les présente jamais ensemble, notamment au moment de la conception de Jésus. C'est Élisabeth que Marie va saluer et non Anne, à moins qu'Élisabeth ne soit Anne, selon une interprétation de Léonard de Vinci. L'éloignement de Marie de sa mère pour un mariage avec le Seigneur est plus conforme à la tradition qui apparaît alors depuis quelques siècles.

Le plus bel exemple du devenir de la relation mère-fille est peut-être illustré par les mythes et rites relatifs à Déméter et Korè. Ces mythes, j'imagine que vous les connaissez un peu. Vous habitez un lieu qui en garde des traces, la mémoire. Comme presque toujours, ces mythes ont plusieurs versions. Cela signifie qu'ils sont apparus à des époques différentes et dans des régions différentes.

La plupart des mythes de la Grèce archaïque ont une origine asiatique ou inconnue. Il en va ainsi pour ceux relatifs à Aphrodite, Déméter et Korè-Perséphone. Leur évolution doit s'entendre comme l'effet de migrations dans divers lieux auxquels ils s'adaptent plus ou moins bien et l'effet d'évolutions historiques. Car le mythe ne correspond pas à une histoire indépendante de l'Histoire mais il exprime celle-ci en récits imagés qui illustrent les grandes tendances d'une époque. Cette expression de la temporalité de l'Histoire est tributaire du fait que, en ce temps-là, la parole et l'art n'étaient pas séparés. Ils gardaient, de ce fait, un rapport particulier à l'espace, au temps et à la manifestation des formes de l'incarnation. L'expression mythique de l'Histoire est plus apparentée aux traditions féminines et matrilinéaires.

Dans les mythes concernant les relations mères-filles et les mythes relatifs à la déesse amante et aux dieux couples, le récit, la mise en scène ou l'interprétation sont plus ou moins masqués, travestis, par la culture patriarcale qui se met en place. Cette culture a effacé — peut-être par ignorance ou inconscience — les traces d'une culture antérieure ou simultanée à elle. Ainsi beaucoup de sculptures ont été détruites ou enfouies dans le sol, des rites ont été rayés des traditions ou transformés en rites patriarcaux, des mythes ou mystères ont été interprétés dans l'horizon patriarcal ou comme la simple préhistoire de son avènement.

Il en va ainsi pour les mythes relatifs à Déméter et Korè-Perséphone. Il me semble qu'il y en a au moins deux versions différentes. Dans une version, la fille de Déméter est enlevée par le dieu de l'ombre, du brouillard, des enfers et ensuite séduite par lui malgré elle pour qu'elle ne puisse pas retourner définitivement avec sa mère. Lors de son premier enlèvement par Hadès — appelé aussi Erèbe ou Aidoneus par Homère —, elle regarde des fleurs printanières avec d'autres jeunes filles et, au moment où elle tend les bras vers un narcisse, la terre s'entrouvre et le prince des enfers l'emmène avec lui. Il n'en a pas encore fait sa femme quand Hermès, messager de Zeus, vient la rechercher à la demande de Déméter, sa mère, qui, par chagrin, a rendu la terre stérile. Le dieu des enfers ne peut qu'obéir mais il fait à Perséphone un cadeau empoisonné dans le dos d'Hermès : il lui fait manger des pépins de grenade. Or, qui a accepté un cadeau du prince de l'Hadès en est devenu l'otage.

Cette version est celle de l'hymne homérique. Il arrive que dans des versions ou interprétations plus tardives, Korè-Perséphone soit rendue plus ou moins responsable de son sort. Elle est rapprochée alors de l'Ève séductrice qui entraîne le mâle à la déchéance. Selon les versions initiales, il n'en est rien. Mais l'histoire de Déméter et Korè-Perséphone est si terrible et si exemplaire qu'il est compréhensible que l'époque patriarcale ait voulu faire porter la responsabilité de ses crimes par la femme séductrice.

La seule faute de Korè-Perséphone serait de tendre les bras pour cueillir un narcisse. Certes, il est préférable de laisser les fleurs en terre avec leurs racines plutôt que de les cueillir, surtout au printemps. Mais cueillir une fleur doit-il valoir comme châtiment à la fille d'être emmenée en enfer, même si cette fleur est un merveilleux narcisse ?

Quelles que soient les raisons qui sont invoquées pour rendre Korè-Perséphone coupable, il est évident que son sort se joue entre dieux-hommes. Jupiter, Poseidon et Hadès doivent se répartir le ciel, les océans et le monde souterrain. L'épisode du rapt de Korè-Perséphone concerne un conflit de pouvoir entre Zeus et Hadès, deux frères d'origine différente et qui ne peuvent se rencontrer ni se voir à cause de leur appartenance généalogique. Zeus est un descendant de Gaïa, Hadès est un descendant du Chaos. Zeus est un enfant du pôle féminin, conçu avec un de ses premiers fils ; Hadès, ou l'Érèbe, est un rejeton du Chaos initial, soit du pôle masculin de l'origine du monde. Zeus veut obtenir la place de Dieu des dieux malgré les puissances masculines infernales qui ont voulu l'anéantir comme individu plus différencié que le Chaos. Il prétend renverser l'initial Chaos en toute-puissance divine masculine.

Pour cette opération, Jupiter, le père de Korè-Perséphone, donne sa fille en mariage à Hadès, qui néanmoins la vole, la viole. Cet épisode se situe, comme bien d'autres, aux moments de passage de la matrilinéarité à la patrilinéarité. Jupiter monnaie la virginité de sa fille contre l'affirmation de sa toute-puissance mâle. Son père ne voulait pas qu'il naisse comme manifestation humaine sexuée ; lui, accepte de céder la virginité de sa fille, son identité féminine, pour prix de sa reconnaissance comme Dieu des dieux de l'Olympe. Pour exister aux yeux de tous comme le bon Dieu, il accepte de donner sa fille en mariage au dieu des enfers. Cette opération se réalise sans l'accord de la fille ni de la mère. Deux choses sont ainsi sacrifiées à l'établissement du pouvoir de Zeus : la virginité de Korè-Perséphone et l'amour entre Déméter et sa fille. En fait, Jupiter n'avait pas le droit d'user ainsi de la fille et de la mère. Ce que Déméter essaiera de lui faire entendre mais que Korè-Perséphone n'osera plus lui dire sinon sous la forme d'un cri d'appel. Jupiter a rompu l'échange de paroles entre sa fille et lui en même temps qu'il l'a privée de sa virginité, enjeu de troc avec Hadès.

Ce sacrifice de la virginité de Korè-Perséphone et de son langage, y compris dans les relations avec sa mère, semble manifester que Jupiter n'a pas encore accès à l'humanité accomplie ni à la divinité de son identité mâle. Mais cette imperfection, il l'a fait porter à Hadès, outre le fait qu'il continue à pratiquer l'inceste et à avoir de multiples amantes, ce qui signifie un manque d'incarnation dans un corps.

S'affirmer comme le souverain d'en-haut crée ou

entretient l'existence d'un souverain d'en-bas. Doublant le ciel, Jupiter doit aussi doubler la terre. Jupiter se tient plus haut qu'Ouranos dans l'accès au céleste selon la hiérarchie humaine et divine patriarcale, mais ce plus haut implique un plus bas. Au souverain Zeus, correspond l'infernal Hadès. Ces deux ne peuvent se voir ni se rencontrer. Le Dieu d'en-haut sera le resplendissant, l'éclatant, mais encore le tonnant, le Dieu de la foudre, des rapports violents entre ciel et terre. Le dieu d'en-bas sera celui de l'indifférenciation transformée en enfers, en brouillards, en abîme. Cette puissance infernale du règne des dieux mâles, ce dieu de l'invisible, sera un voleur, un violeur, l'homme noir dont toutes les petites filles ont peur. N'est-ce pas le double sombre de Jupiter ? N'est-ce pas l'ombre de la souveraineté ? L'envers ou l'enfer de sa puissance absolue sans partage tendre avec l'autre sexe ? Cet Hadès ne correspond-il pas au revers obscur, et, dans notre parler actuel, à l'inconscient désordonné de ses éclats ?

L'homme noir donc prend la petite fille ou l'adolescente. Il la couvre d'ombre. Il l'emmène sous terre dans son domaine. Elle se refuse à son amant.

Quand il l'entraîne dans le monde souterrain, elle crie mais nul ne l'entend, ni sa mère ni Zeus son père. Le soleil, dit-on, entend l'adolescente, et peut-être Hécate. A moins que ce ne soit le soleil qui lui fasse part du rapt de Korè-Perséphone.

C'est Hécate qui, au bout de dix jours, dira à Déméter où est sa fille. Elle lui révélera aussi que l'enlèvement a eu lieu avec la complicité de Zeus, le mari de l'une, le père de l'autre. Déméter alors s'irrite contre les dieux. Elle quitte l'Olympe et se rapproche des mortels. Endeuillée, elle cherche à se consoler en devenant nourrice d'un autre enfant. Sans révéler son identité, elle propose ses services dans une maison où une femme vient d'accoucher d'un benjamin inespéré, un fils tardif, peut-être un fils de dieu, de Zeus. Ses offres sont acceptées.

C'est un petit garçon qui lui est confié en place de sa fille. Et, pour un temps, elle s'en contente. Mais elle a des projets pour cet enfant. Elle veut en faire un immortel. Elle l'élève donc de façon curieuse : sans le nourrir, en le frottant d'ambroisie, en soufflant sur lui en le tenant sur son cœur, en le mettant la nuit dans le feu. C'est ainsi qu'on ferait un immortel. L'enfant grandit, en effet, comme un dieu. Mais sa mère épie les soins que Déméter donne à son fils. Elle s'en effraie et dévoile sa présence en criant. Déméter, vexée du peu de confiance de cette mortelle, lâche le nourrisson, le laisse sur le sol et décide de suspendre ses fonctions dans cette maison. Elle se fait alors reconnaître et demande réparation au mari pour cette offense.

L'enjeu de sa demande est qu'un sanctuaire lui soit élevé à Éleusis. Ce qui fut fait. Déméter s'y retira et ne pensa qu'à sa fille. Son deuil entraîna la stérilité de la terre, ce qui veut dire plus de nourriture pour les mortels, donc plus de mortels pour honorer les dieux.

Après un an de famine, Zeus s'inquiéta. Il essaya de fléchir Déméter dans sa décision. Il lui envoya comme messager de paix d'abord Iris, puis tous les dieux existant qui lui apportent des présents magnifiques et tous les privilèges qu'elle voudra. Mais Déméter n'accepte rien. Elle veut revoir le visage de sa fille. Notons, à ce propos, que, dans sa peine, elle ne recourt jamais à sa mère. Comme Korè-Perséphone, comme Iphigénie, comme Antigone, comme Marie et comme Ève, ces femmes n'ont plus de mère à qui se confier. La généalogie féminine est déjà interrompue.

L'histoire de Korè-Perséphone révèle que la fille

n'en est pas responsable. La mère le serait un peu plus, elle qui commence à se consoler de la disparition de celle-ci en se faisant nourrice d'un enfant mâle. Mais l'acceptation de cette substitution correspond aussi à une vengeance. Un dieu lui a ravi sa fille, elle renonce à vivre avec les immortels et veut leur imposer un mortel comme dieu. Cette solution ayant échoué, elle refuse toute proposition venant du Dieu des dieux, sauf qu'il lui rende sa fille. Zeus comprend qu'il n'y a plus d'autre solution pour sauver les mortels et les immortels. Il envoie Hermès dans l'Érèbe pour rechercher Perséphone. Et Hadès ne peut qu'obéir. Mais il ruse encore pour garder la maîtrise : il fait manger à Perséphone un pépin de grenade ; ce qui la rend, à son insu, otage des enfers.

Mère et fille se retrouvent avec bonheur. Déméter demande à Perséphone de lui raconter tout ce qui lui est arrivé. Elle lui en fait le récit en commençant par la fin. Elle remonte le temps en quelque sorte, comme doit le faire aujourd'hui toute femme qui tente de retrouver les traces de l'éloignement de sa mère. C'est à cela que devrait lui servir le parcours psychanalytique, à retrouver le fil de son entrée et, si possible, de sa sortie des enfers.

Mais revenons aux retrouvailles de Déméter et de Perséphone. Elles passent tout le jour à unir leurs cœurs, à se réconforter, à se donner des preuves de leur joie. Hécate vient se joindre à elles et, depuis ce temps, elle aura une place importante dans les mystères liés à Korè-Perséphone. En particulier, elle la suit lors de sa descente aux enfers et elle la précède lors de son retour sur la terre.

En effet, le cadeau empoisonné que Perséphone a accepté de Hadès semble suffisant pour qu'elle lui reste soumise au moins un tiers de l'année : la saison froide. De même, et différemment, manger une pomme suffira à être exclu(e) du paradis terrestre. A ce moment-là, il est vrai, l'interdit serait clairement énoncé avant la faute, ce qui n'est pas le cas pour Korè-Perséphone. Mais il s'agit toujours d'histoires de pièges ou tabous un peu semblables concernant les fleurs ou les fruits dont tantôt le prince des ténèbres est clairement responsable, tantôt la culpabilité est imputée à une femme. Il est vrai qu'Ève n'en est plus une puisqu'elle est tirée de la côte d'Adam. Ève n'est que partie d'Adam, créée sans mère, ce qui n'est pas le cas de Korè-Perséphone, déesse, fille de déesse, d'un couple de dieux. Le lien entre humanité et divinité n'est pas alors tranché. Il se tisse tantôt dans un sens, tantôt dans l'autre, avec de curieuses épreuves ou ruses, d'étranges interdits imposés aux femmes pour établir une généalogie et théologie descendantes patriarcales.

Tous ces codes échappent à la petite fille. Si elle se trompe, elle ne le décide pas. Elle est prise dans des enjeux, contractuels ou non, entre hommes, entre hommes et dieux mâles. Selon ces accords, elle devrait tout refuser des hommes et des dieux pour ne pas être séduite par erreur de sa part. Elle devrait se tenir radicalement à l'écart du peuple des hommes, des contrats entre hommes, des relations entre hommes, jusqu'à ce que sa virginité ne soit plus un lieu de tractations entre eux. Elle devrait se souvenir que la virginité signifie le rapport qu'elle entretient à son intégrité physique et morale et non le prix d'un marché entre hommes. Elle devrait apprendre à se garder pour elle, pour ses dieux et ses lois, pour l'amour dont elle est capable si elle n'est pas emportée hors d'elle, volée, violée, privée de la liberté de gestes, de paroles, de pensées. Évidemment cette liberté doit être réelle et non commandée ; la liberté de séduire en fonction des instincts masculins ou d'acquérir l'égalité de droits à l'intérieur d'un ordre unisexe masculin est seulement une liberté superficielle qui a déjà exilé la femme d'elle-même, qui lui a déjà ôté toute identité spécifique. Elle n'est alors qu'une sorte de pantin, ou un objet mobile, réduite à être soumise à d'élémentaires pulsions à buts passifs. Elle s'imagine avoir besoin d'être « baisée » par un homme, elle souffre d'un élémentaire besoin de type oral (partiellement projection inversée venant du désir masculin), écrit savamment Freud, sans penser que ce besoin peut signifier l'effet de la soumission de la femme aux instincts masculins. Ce besoin serait une sorte de survivance du chaos initial que le désir mâle a ouvert au flanc de la terre.

Ce chaos, en effet, est toujours là. Il se manifeste dans l'économie pulsionnelle sans génitalité de la libido, économie dans laquelle est emprisonnée la femme. L'un — lui — reste dans la régression incestueuse et dans la possession anale, l'autre — elle — est réduite à une mendicité de type oral. La femme aurait toujours faim de lui sans retour à elle. A force, elle aurait attrapé faim de l'abîme qu'il a ouvert en elle ; elle serait malade d'une faim sans fond parce que ce ne serait pas sa faim, mais l'abîme en elle de la faim naturelle et culturelle de l'autre.

Tout cela ne pouvait arriver sans qu'elle soit séparée de sa mère, de la terre, de ses dieux et de son ordre. Voilà la faute initiale qui rend la femme séductrice sur fond de néant. Mais pourquoi l'avoir enlevée à sa mère ? Pourquoi avoir détruit les généalogies féminines ? Pour établir un ordre dont l'homme avait besoin mais qui ne correspond pas encore à celui du respect et de la fécondité de la différence sexuelle.

Pour rendre à nouveau possible une éthique de

la différence sexuelle, il faut renouer le lien des généalogies féminines. Beaucoup pensent ou croient que nous ne savons rien des relations mères-filles. C'est la position de Freud qui affirme qu'il faut aller questionner sur ce point, derrière la civilisation grecque, une autre civilisation effacée. C'est historiquement exact, mais cette vérité n'empêche pas Freud de théoriser et imposer, dans la pratique psychanalytique, la nécessité du détournement de la fille par rapport à la mère, de la haine entre elles, et sans enjeu de sublimation de l'identité féminine, pour l'entrée dans le désir et la loi du père. Cela est inacceptable. Freud se conduit ici en prince des ténèbres par rapport à toutes les femmes. Il les entraîne dans l'ombre et la séparation d'avec leur mère et d'avec elles-mêmes pour l'établissement d'une culture de l'entre-hommes : au niveau du droit, de la religion, du langage, de la vérité et de la sagesse. Pour que la fille vierge devienne femme, elle doit se soumettre à une culture, en particulier de l'amour, qui représente pour elle l'Hadès. Elle doit oublier son enfance, sa mère, elle doit s'oublier dans sa relation à la *philotès* d'Aphrodite.

Si la rationalité de l'Histoire revient à nous souvenir de tout ce qui a eu lieu et à en tenir compte, il est nécessaire de faire entrer dans l'Histoire l'interprétation de l'oubli des généalogies féminines et d'en rétablir l'économie.

Les justifications qui sont données de l'interruption de l'amour mères-filles disent que cette relation serait trop fusionnelle. Ainsi la psychanalyse nous enseigne que la substitution du père à la mère est indispensable pour permettre de créer une distance entre mère et fille. Il n'en est rien. La relation mère-fils, elle, est fusionnelle parce que le fils ne sait pas comment se situer vis-à-vis de celle qui l'a engendré sans réciprocité possible. Lui, ne peut concevoir en lui. Il ne peut qu'artificiellement s'identifier à qui l'a conçu. Pour se séparer de sa mère, l'homme a donc besoin de se constituer toutes sortes d'objets, y compris transcendantaux — des dieux, de la Vérité — pour résoudre cet insoluble rapport entre celle qui l'a porté en elle et lui.

La situation est différente pour la fille, potentiellement mère, et qui peut cohabiter avec sa mère sans détruire l'une ou l'autre et avant la médiation d'objets spécifiques. La nature est, pour elles, un milieu privilégié ; la terre est leur lieu. Dans son site toujours fécond, mère et fille coexistent avec bonheur. Elles sont, comme la nature, fécondes et nourrissantes, ce qui ne les empêche pas d'entretenir entre elles des relations humaines. Ces relations passent par l'établissement de généalogies féminines, mais pas seulement. Ainsi, les paroles de la fille à la mère représentent peut-être les modèles de langage les plus évolués et les plus éthiques en ce sens qu'elles respectent les relations intersubjectives entre les deux femmes, qu'elles expriment la réalité, qu'elles utilisent correctement les codes linguistiques, qu'elles sont riches qualitativement. La scolarité, le monde social de l'entre-hommes, la culture patriarcale fonctionnent pour les petites filles comme l'Hadès pour Korè-Perséphone. Les justifications données pour expliquer cet état de choses sont inexactes. Les traces de l'histoire de la relation entre Déméter et Korè-Perséphone nous en apprennent davantage. La petite fille est enlevée à sa mère pour un contrat entre dieux-hommes. Le rapt de la fille de la grande Déesse sert à l'établissement du pouvoir des dieux mâles et à l'organisation de la société patriarcale. Mais ce rapt représente un viol, un mariage sans consentement de la fille ni de la mère, une appropriation de la virginité de la fille par le dieu des enfers, un interdit de parler imposé à la fille et à la femme, une descente pour elle(s) dans l'invisible, l'oubli, la perte d'identité et la stérilité spirituelle.

Le patriarcat est fondé sur le vol et le viol de la virginité de la fille et son utilisation pour un commerce entre hommes, y compris au niveau religieux. Ce commerce s'exerce par de la circulation de monnaie mais aussi par l'échange de biens fonciers et pour des enjeux de pouvoirs symboliques ou narcissiques. Sur cette faute originelle, le patriarcat a construit son ciel et ses enfers. A la fille, il a imposé le silence. Il a dissocié son corps de sa parole, sa jouissance de son langage. Il l'a entraînée dans le monde des pulsions masculines, monde où elle est devenue invisible et aveugle pour elle-même, pour sa mère, pour les autres femmes et même pour les hommes, qui peut-être la veulent telle. Le patriarcat a ainsi détruit le lieu le plus précieux de l'amour et de sa fécondité : la relation entre mère et fille dont la petite fille vierge garde le mystère. Cette relation ne dissocie pas l'amour du désir ni le ciel de la terre et elle ne connaît pas l'enfer. Celui-ci apparaît un résultat d'une culture qui a anéanti le bonheur sur la terre en renvoyant l'amour, y compris divin, dans un au-delà de nos relations présentes.

Pour rétablir une élémentaire justice sociale, pour sauver la terre d'une totale soumission à des valeurs masculines (qui privilégient souvent la violence, le pouvoir, l'argent), il est nécessaire de restaurer ce pilier manquant dans notre culture : la relation mère-fille et le respect de la parole et de la virginité féminines. Cela demande une modification des codes symboliques, en particulier du langage, du droit, de la religion.

CALENDRIER DES CONFÉRENCES

Une chance de vivre, Tirrénia, le 22 juillet 1986.

Comment devenir des femmes civiles, Rome, le 8 avril 1988.

Droits et devoirs civils pour les deux sexes, Florence, le 10 septembre 1988.

Le mystère oublié des généalogies féminines, Syracuse, Palerme, Ternes, les 31 mars, 3 avril et 2 juin 1989.

Dans Le Livre de Poche

Extrait du catalogue

Philosophie, histoire des idées

Armand Cuvillier.

Cours de philosophie, 1. 4053

Les questions fondamentales de la philosophie sont abordées dans des exposés rigoureux et précis. Toutes les notions, tous les concepts. Une superbe introduction à l'univers philosophique. Problèmes de la conscience et de l'inconscient, de l'espace, du réel, de la mémoire, du temps, de l'intelligence, du langage, de la raison, de la connaissance, de l'esprit scientifique, de la biologie, de l'histoire, de la métaphysique, etc.

Cours de philosophie, 2. 4054

Thèmes psychologiques, moraux et politiques. Le désir, le plaisir, les passions, le moi, la personnalité et le caractère, autrui, l'art, le Beau, la création, l'expérience morale, le devoir, le Bien, les grandes conceptions de la vie morale, la famille, le travail, l'État, la nation, la liberté, les théories politiques, etc.

Diderot ou le matérialisme enchanté 4017

par Elisabeth de Fontenay

Elisabeth de Fontenay rompt le fil de l'exégèse traditionnelle pour faire apparaître un Diderot excentrique, rebelle, chantre de « la matière, de la nature et de la vie », qui, mieux que nul autre, aura « musiqué » la philosophie.

Mircea Eliade 4033

« Cahier de l'Herne »

Appréhender l'homme à travers ses manifestations les plus singulières. Saisir les mystères de l'esprit, les raisons de ses fascinations pour le merveilleux ou l'inexplicable. Définir des réalités aussi étranges, aussi impénétrables que la conscience ou l'imaginaire. Telles sont les voies sur lesquelles s'est engagé Mircea Eliade.

Michel Foucault 4036

par Angèle Kremer-Marietti

Lectures de Michel Foucault. Un parcours qui, de *La Naissance de la clinique* et *L'Histoire de la folie* aux derniers volumes de *L'Histoire de la sexualité,* explore méticuleusement le système Foucault. On visite l'inconscient politique occidental, on descend aux racines des valeurs, on entend la vérité des institutions sociales...

Hegel 5006

par Jacques D'Hondt

« Ici et là, on veut encore brûler Hegel, cent cinquante ans après sa mort ! Les passions éveillées par la publication de ses idées et par leur succès équivoque ne s'apaisent pas. Cette longévité qualifie les grands penseurs. »

Martin Heidegger 4048

« Cahier de l'Herne »

L'œuvre philosophique la plus considérable de ce siècle est indéniablement celle de Martin Heidegger. La métaphysique, la pensée de l'Être, la technique, la théologie, l'engagement politique : rien ne manque au tableau de ce Cahier de l'Herne exceptionnel. Des intervenants prestigieux, des commentaires judicieux.

Vies et légendes de Jacques Lacan 4013

par Catherine Clément

Jacques-Marie Lacan, le plus célèbre des psychanalystes français : sur son œuvre flotte toujours un délicieux parfum de scandale. Catherine Clément s'est résolument placée hors polémique. Et c'est un Lacan nouveau qui surgit, théoricien du langage, de l'amour, de l'enfance, de la folie.

Claude Lévi-Strauss 4035

par Catherine Clément

L'œuvre de Claude Lévi-Strauss a bouleversé notre regard porté sur les cultures et les sociétés archaïques. Il n'est plus possible aujourd'hui de voir le monde primitif comme les ethnologues nous le montraient il y a encore quelques décennies, telle une image trouble et vacillante de notre propre passé.

Montaigne 5007

par Christine Boutaudou

A la charnière de deux mondes, Montaigne a proposé mieux qu'une éthique : une véritable esthétique de la vie. Il n'a pas créé un art de vivre, mais un mode d'être. Dans les célèbres *Essais*, conversation à bâtons rompus avec lui-même et son prochain, il suggère une merveilleuse leçon de sagesse.

Montesquieu, la liberté et l'histoire 4067

par Georges Benrekassa

Montesquieu notre contemporain. Pour découvrir un philosophe de la liberté aux prises avec l'intelligence de l'histoire et comprendre à quelles conditions les vérités du libéralisme sont acceptables.

Proudhon 5009

par Pierre Ansart

« La propriété c'est le vol ». « Dieu c'est le mal »... Formules désormais célèbres d'un penseur dont le travail aura largement contribué à bouleverser les idéologies du XIXe siècle. Les grands axes d'une réflexion, les grands débats qu'elle a suscités : Pierre Ansart nous offre un exposé concis et clair.

Jean-Paul Sartre, 1 et 2 5008 et 5013

par Jeannette Colombel

1. Un homme en situations.

Dans ce premier volume, Jeannette Colombel met l'accent sur le Sartre théoricien du « sujet », le penseur de *L'Être et le Néant*.

2. Une œuvre aux mille têtes

Second tome qui présente le philosophe de la liberté. sa vision de l'Histoire, ses conceptions de la morale, sa passion de l'écriture, son sens de l'injustice, son refus des oppressions. Tout Sartre, de *La Nausée* à *L'Idiot de la famille*.

Composition réalisée par C.M.L., Montrouge.

IMPRIMÉ EN FRANCE PAR BRODARD ET TAUPIN
Usine de La Flèche (Sarthe).
LIBRAIRIE GÉNÉRALE FRANÇAISE - 6, rue Pierre-Sarrazin - 75006 Paris.

ISBN : 2 - 253 - 05143 - 8 42/4110/5